JN053094

テンプレート式
理系の英語論文術

国際ジャーナルに学ぶ　伝わる論文の書き方

中山裕木子　著

ブルーバックス

カバー装幀／五十嵐 徹（芦澤泰偉事務所）
カバー撮影／柏原 力（講談社写真部）
本文・目次デザイン／赤波江春奈（B GRAPHIX）

効果的な英語論文を
効率的に書くために

論文を英語で書くことになったけど、何から手をつけよう……。日本語で書いてから英訳するか、英語で直接書くか。それとも、精度が高まったといわれる人工知能（AI）を使った機械翻訳で英語に翻訳しようかとも考えるが、出力結果が正しいかどうか判断しづらい。

　本書は、このような悩みを抱える理系研究者を対象としています。ネイティブ話者にひけをとらず、かつネイティブにも非ネイティブにも伝わりやすい英語論文の書き方を、「アブストラクト」と「タイトル」に焦点をあてて解説し、非ネイティブの英語話者が、国際ジャーナルに論文を投稿するのに必要な英文ライティングスキルを最短で習得することを目的としています。

　筆者は、理系の大学生や大学院生、理系教科の大学教員、研究機関の研究員を対象とした英語論文執筆の講義を2006年から数多く担当してきました。講義の中では、日本語を母国語とする理系研究者が英語で論文を執筆するのに必要なライティングの基礎と応用を効果的に学べるよう、各表現の根拠を可能なかぎり示すことを心がけています。加えて、理系学生への授業で毎年300件ほどのアブストラクトや論文を添削し、2014年に設立した特許翻訳と論文校閲の会社では、英語論文を正確、明確、簡潔な英

文にブラッシュアップする校閲サービスの提供を通じて日本人研究者を支援してきました。これらの活動を通じて、非ネイティブの英語話者による表現の弱点や文法的な誤りを解消していくうちに、日本語が背景に透けて見える直訳調の英文や難解な表現を含んだ英文を、論文著者の英語表現を最大限に活かしつつ、広い読者層に伝わる自然な英文へとブラッシュアップする手法を確立しました。

　本書ではまず、日本語を母国語とする人が英文を作成した場合に陥りやすい表現パターンとその回避策または改善策をお伝えします。そのうえで、論文の「アブストラクト」と「タイトル」に焦点をあて、日本語からの直訳や難しい表現を避けて、正しく、明確、簡潔に英語論文を執筆するための技法の数々を、英語の非ネイティブ話者が使いやすい雛形（テンプレート）として紹介します。いずれの雛形も、ジャーナルインパクトファクター（JIF：Journal Impact Factor）が付与された国際ジャーナルに掲載された英語論文から抽出しています。ジャーナルインパクトファクターとは、自然科学や社会科学の学術雑誌が各分野内で有する相対的な影響力の大きさを測る指標のことで、ジャーナルに掲載された論文の年間引用回数の平均値に基づく指標です。つまり、本書で提案するテンプレートには、非ネイティブ向けに簡略化した稚拙な英語表現ではなく、非ネイティブが自信をもって世界の研究者と渡り合える英語表現が詰まっているということです。英語論文の理想型を有していることで、論文を一から英文で執筆することも、機械翻訳で準備した英文を利用して作成することも容易になるはずです。

本書は10章で構成されています。

　第1章では、「論文の要点を的確に伝える」というアブストラクトの役割と、「論文の内容を的確に表し、想定読者を惹きつける」というタイトルの役割を確認したうえで、それらを実現するためのアブストラクトとタイトルの作成方法を説明します。

　第2章から第4章では、難解な表現や誤った表現を避けて正確・明確・簡潔に表し、細部の精度と格調を高める方法を紹介します。

　第5章以降では、実践的な英文を作成できるテンプレートを紹介します。第5章では効果的なタイトルの作成、第6章から第8章では、【研究の背景】、【研究内容】、【結果と考察】の執筆に役立つテンプレートとして、電子電気・機械・化学・ソフトウェア・メディカル・バイオ・環境など、国際ジャーナルに掲載された様々な分野の論文アブストラクトから引用したサンプルを紹介します。

　第9章では、アブストラクト全体に適用できる内容として、完成した複数の英文どうしを効果的に結束させ、内容を論理的に展開するための方法を説明します。第10章では、機械翻訳を使って英文を書く際に留意すべきポイントとツールの使いこなし術について、機械翻訳の出力結果をブラッシュアップしながら説明します。時代のテクノロジーを活かしながら、効果的かつ効率的に英文を書ける力の獲得を目指します。

　本書の随所に配置したコラムTips for Readersでは、英語で論文を書こうとする学生との対話形式で表した英文

法や各種表現のワンポイント解説をお届けします。

　研究者や学生の方々が本書を活用され、時間を短縮しながらも自信をもって英語論文を執筆できるようになることで、ますます多くの研究成果を世界に発表されることを願っています。

本書の使い方

　本書では、国際ジャーナルに掲載された英語論文をお手本にして表現を学びます。例示する論文の出典情報とテンプレートは、次のように記載しています。

❖出典情報

　タイトル. ジャーナル名, 巻（号）, 掲載ページ, 発行年月日（掲載ページ、号、月日は記載がない場合もある）

例

Trustworthy Deep Learning in 6G-Enabled Mass Autonomy: From Concept to Quality-of-Trust Key Performance Indicators. *IEEE VEHICULAR TECHNOLOGY MAGAZINE*, 15 (4), pp. 112-121, Dec 2020

タイトル

巻（号）　掲載ページ　　発行年(月日)　　ジャーナル名

　タイトルの大文字と小文字の別については、国際ジャーナルによる表記をそのまま採用しています。

❖テンプレート

　テンプレート化したアブストラクトの各部分では、国際ジャーナルから抽出した様々な表現を紹介しています。テンプレートは、［ **a** ］や［ **b** ］に、日本語の（ **a** ）や（ **b** ）に相応する英語を入れて使用します。英文中で、

動詞や形容詞などの代替案となる単語はスラッシュ／で示します。丸括弧( )は、主語にあわせて形式的に変わる表現を示しています。また、第1章2節の「基本のテンプレート」で全体像、各章の例示箇所で各表現の使用方法と使用例を示します。

　例えば、「基本のテンプレート」のうち、アブストラクトの導入【研究の主題の紹介】では、次のような表現を紹介しています。

[**a**] require(s)/necessitate(s)/use(s)/involve(s) [**b**].
（ **a** ）するためには、（ **b** ）が重要／必要である。

（ **a** ）に相応する英語を［ **a** ］に記入し、（ **b** ）に相応する英語を［ **b** ］に記入し、表す内容に応じて動詞をrequire、necessitate、use、involveから選択します。さらに［ **a** ］が単数か複数かに応じてrequiresなどと三人称単数現在形のエスを入れるかどうかを決めます。

　このテンプレートは、タイトル（第5章）、接続語（第9章3節）のテンプレートとあわせて下記の特設サイトからダウンロードしていただくことが可能です。

〈**特設サイト**〉
https://bluebacks.kodansha.co.jp/books/
9784065333648/appendix/

　基本のテンプレートに対応する第6章1節では、次のよ

うに、実際の国際ジャーナルからの英文を、和訳（本書の筆者作成）とともに示しています。

The rapidly ageing population **requires** food products that meet their specific physiological needs and have pleasurable sensory characteristics.
高齢化が進む中、高齢者の身体的要求に適し、かつ満足感が得られる食品が求められている。

Can tribology be a tool to help tailor food for elderly population?. *CURRENT OPINION IN FOOD SCIENCE*, 49, Feb 2023

　また、本書の執筆にあたっては次のスタイルガイドを参考にしています。

● The ACS Style Guide: Effective Communication of Scientific Information, Oxford University Press
● AMA Manual of Style: A Guide for Authors and Editors, Oxford University Press
● IEEE Editorial Style Manual, The Institute of Electrical and Electronics Engineers: The Institute of Electrical and Electronics Engineers (IEEE)

〈**参考文献について**〉
　本書の「参考文献一覧」は、左記の＜特設サイト＞に掲載しています。

論文タイトルと
アブストラクトの役割

技術論文のタイトルとアブストラクトは、論文全体の「広告塔」の役割を果たすため重要です。

まず、タイトルによって、何に関する論文であるかを読み手に知らせ、アブストラクトへと読み手を導きます。次に、アブストラクトでは、論文に何が書かれているか、つまり、どのような問題を解決するために何を行ったか、得られた結果が何であるかを端的に読み手に知らせて論文本文へと読み手を導きます。これらの「広告」が上手くいけば、意図する読者に論文の内容を届けることができ、その結果、研究内容が活用され、人間生活の改善につながる可能性が高まります。

さらには、論文の広告塔であるタイトルとアブストラクトを、英語で効果的に作成していく過程で、著者自身が研究内容を確認できるという利点もあります。英語は曖昧さを許容しない明快な言語です。そのため、タイトルとアブストラクトの作成時には、研究のエッセンス（scope and nature：範囲と性質）を明確化することが必要となります。英語で書く作業を通じて、著者自身が考えを整理したり、明確化したりすることができ、さらには明確化した研究内容を関係者と共有することで、書面によって研究内容を確認できるといった利点もあるのです。

1-1 キーワードで読み手を捉えるタイトル

タイトルには、読者の関心を惹くという役割があります。何に関する論文かを読み手に素早く知らせ、アブストラクトへと読み手を導くために、文献データベースの検索にかかりやすい適切なキーワードを、読みやすく並べることが大切です。

本節では、研究に関するキーワードを決定してタイトルを作成する基本的な方法を3つのステップで紹介します。まずは、キーワードをつなぐ最も簡便な方法である前置詞を使ったタイトルの作成方法を紹介します。ほかの方法を含めた詳細は、第5章で説明します。

> **タイトル作成の3つの基本ステップ**
> ステップ1……キーワードを決める
> ステップ2……名詞の単複と冠詞を整える
> ステップ3……係り受けが明確になるよう配置してつなぐ
> （前置詞を使ってつなぐ）

▶ステップ1……キーワードを決める

次の**a-g**の問いに対して、キーワードとなる単語を書き出してください。日本語と英語の両方で書き出すことがおすすめです。

a 研究テーマは何ですか
b 用いた方法や材料、特徴は何ですか

c 用途は何ですか

d 何として使いますか

e 全体構造／使用場所／分野を教えてください

f 重要な動作や工程はありますか

g 目的は何ですか

a-gのうち、答えが見つからない問いは飛ばし、必要箇所だけを埋めます。**a-g**の答えから抜粋して組み合わせたタイトルのテンプレートの例は、第5章1節で紹介しています。

▶ステップ**2**……名詞の単複と冠詞を整える

ステップ1で書き出した名詞の単数形・複数形の別と冠詞を整えます。名詞の扱いに関する文法の決まりごとは、第3章1節をご覧ください。

▶ステップ**3**……係り受けが明確になるよう配置してつなぐ （前置詞を使ってつなぐ）

重要な内容を前に出し、関連する単語を近くに配置することで、単語どうしの係り受けを明確化して、負担なく読めるようにします。係り受けとは、単語どうしの修飾関係のことです。各単語の配置を決めたら、前置詞を使って各キーワードをつなぎます。一例として、「**a** 研究テーマ」をはじめに配置し、「**b** 方法や材料」を with でつなぎ、「**c** 用途」を for でつなぎます。さらに、「**d** 何として使うか」の情報があれば as、「**e** 全体構造／使用場所／分野」を含めたければ in でつなぎます。必要な情報のみを含めます。

ステップ1
キーワードを決める

a 研究テーマは何ですか	b 用いた方法や材料、特徴は何ですか

c 用途は何ですか	d 何として使いますか

e 全体構造／使用場所／分野を教えてください

f 重要な動作や工程はありますか	g 目的は何ですか

ステップ2
数と冠詞を整える

可算か不可算か
可算名詞は単数か複数かを決める（複数形を特に活用）
不可算名詞は無冠詞単数とする

ステップ3
配置してつなぐ

a はじめに配置	b with/using *1

c for	d as

e in

f from/through/via *2	g to＋動詞の原形

★1 with には having（有している）と using（使って）の意味があり、方法や材料の場合に、having（有している）ではなく using（使って）である明確に読める文脈であれば with とし、そのことが読み取りづらい文脈であれば using とします。

★2 from は起点、through は「〜を通して」、via は「〜を経て」を表します。

16

例1

▶ステップ**1**……キーワードを決める

- **a** **テーマ**：biomass-derived hard carbon microtube
バイオマス由来のハードカーボンマイクロチューブ
- **b** **特徴**：tunable aperture
可変開口
- **c** **用途**：high-performance sodium-ion battery
高性能ナトリウムイオン電池

▶ステップ**2**……名詞の単複と冠詞を整える

biomass-derived hard carbon microtubes
microtubeは可算で、複数使用するため複数形のsを使う。
tunable apertures
apertureは可算、複数存在するため複数形のsを使う。
high-performance sodium-ion batteries
batteryは可算、一般論を表すために複数形のsを使う。
可算・不可算名詞の別は、ロングマン英英辞書（https://www.ldoceonline.com/jp/）などで確認しながら行う。

▶ステップ**3**……配置してつなぐ

a をはじめに配置し、**b** を with、**c** を for でつなぐ。

完成

Biomass-derived hard carbon microtubes with tunable apertures for high-performance sodium-ion batteries

可変開口を有するバイオマス由来ハードカーボンマイクロチューブの高性能ナトリウムイオン電池への利用

NANO RESEARCH, 16, pp. 4874-4879, 2023

▶ステップ**1**……キーワードを決める

a テーマ：soft tactile sensor array
    ソフト触覚センサーアレイ
c 用途：force feedback　フォースフィードバック
e 全体構造・使用場所・分野：micromanipulation
    顕微操作

▶ステップ**2**……名詞の単複と冠詞を整える

soft tactile sensor arrays
arrayは可算。複数とするためsを使う。
force feedback, micromanipulationはいずれも不可算のため冠詞なしとする。

▶ステップ**3**……配置してつなぐ

a をはじめに配置し、**c** をfor、**e** をinでつなぐ。

完成

Soft tactile sensor arrays for force feedback in micromanipulation

顕微操作におけるフォースフィードバックに利用するソフト触覚センサーアレイ

IEEE SENSORS JOURNAL, 14 (5), pp. 1443-1452, May 2014

　論文タイトルを作成する際、日本語のタイトルを作成してから英語に訳そうとすると、不要な英単語が残ってしまったり、単語どうしの係り受けが読み取りにくくなったり

する場合があります。

　例えば、例1で作成したタイトルを日本語から英語に訳そうとすると、「可変開口を有するバイオマス由来ハードカーボンマイクロチューブの高性能ナトリウムイオン電池への利用」のどこから英訳を開始すればよいか迷うかもしれません。

「AのBへの利用」はapplication of A to Bと考えた結果、

✗ Application of biomass-derived hard carbon microtubes with tunable apertures to high-performance sodium-ion batteries

のように長くなってしまうと、applicationとtoの係りが読み取りづらくなります。さらには、日本語のタイトルを先に作成すると、「〜の開発」といった漢字で構成された名詞表現でタイトルを終えたくなってしまい、例2のタイトルを「顕微操作におけるフォースフィードバックに利用するソフト触覚センサーアレイの開発」としてしまうかもしれません。そこから英語に訳すと、「〜の開発」はdevelopment of...、「利用する」はused in、「顕微操作」の「操作」はoperationsと考え、次のように長くなってしまうかもしれません。

✗ Development of soft tactile sensor arrays used in force feedback in micromanipulation operations

　不要なtheが入ったタイトルや、名詞の数を整えられていないタイトルも見ることがあります。

✗ **The** application of **the** biomass-derived hard carbon microtubes with tunable apertures to **the** high-performance sodium-ion batteries （不要なthe）

✗ Development of soft tactile sensor **array** used in force feedback in micromanipulation **operation** （名詞の数の不具合）

　このような不具合を減らすためにも、検索にかかることを重視して、タイトルのキーワードを書き出してからつなぐ方法をおすすめします。裏を返すと、英語でタイトルが完成したら、検索にかからないと考えられるすべての単語を削除するのが有効です。先のApplication（〜の利用）やDevelopment of（〜の開発）に加えて、Improvement of（〜の改良）やStudy on、Research into、Report on（〜の研究・報告）の類、さらにはdue to（〜のために）やbased on（〜にもとづき）、regarding（〜に関して）、use of（〜の使用）、加えて、operation（操作）やmethod（方法）といった単語もタイトル検索には寄与しません。これらの単語を省き、節約できた単語数で可能な限り多くのキーワードを含めることで、意図する検索にかかりやすい効果的なタイトルを作成できます。

　なお、先に使用した前置詞以外の動名詞や分詞といった別の方法や、各種留意事項については第5章で詳しく説明します。

1-2 研究のエッセンスを提示するアブストラクト

アブストラクトでは、論文の要点および論文が扱う範囲と性質（scope and nature）を最小限の単語数で読者に伝えます。読む価値のある論文であると読者に判断してもらうために、研究のエッセンスを効果的に提示する必要があります。

原著論文（article、full paper、research article などと呼ばれる）のアブストラクトは、**1. 導入➡2. 今回の研究➡3. 主な結果と今後**の3つの部分から構成されるのが一般的です。研究の背景と解決したい課題、研究の手法、結果と考察を1つのストーリーとして、流れよく読み手に提示するアブストラクトの執筆のために、次の3つのステップをおすすめします。

ステップ1……アイディアを抽出する
ステップ2……英文テンプレートに当てはめて執筆する
ステップ3……読み通してチェックする

本節で提案するアブストラクトの作成は、はじめに母国語（日本語）でアイディアをまとめ、その考えを日本語や英語でメモし、それを英語の型に当てはめるという新しい方法です。つまり、日本語でアブストラクトを作成して英語に訳すという一般的な方法とも、はじめからすべて英語で書くという万人には非現実的な方法とも異なります。日本語と英語の両方の言語の特徴を活かし、国際ジャーナルに見られる表現をガイドラインとすることで、非ネイティ

ブが世界で渡り合える英文アブストラクトを作成します。

▶ステップ1……アイディアを抽出する

次の問いに答えることで、アブストラクトに含めたいアイディアを明確にしてください。

1　解決したい問題は何ですか
2　何をどのように行いましたか
3　得られた知見・推論を教えてください
　　3-1　得られた知見
　　3-2　推論（今後の示唆）

1を【**1. 導入**】に、**2**を【**2. 今回の研究**】に、**3**を【**3. 主な結果と今後**】に配置します。これらは、論文本文の「**序論（Introduction）**」、「**方法（Methods）**」、「**結果と考察（Results and Discussion）**」に相応します。これらの内容を多忙な読み手に対してダイジェストで提示するために、主語と動詞の配置、時制の展開、文と文の結束性を工夫します。

アイディアを抽出するための上記の問いには、日本語と英語のどちらで答えることも可能ですが、いずれの場合にも、文章をすべて書き出すのではなく、短い箇条書きにします。そのことによって、日本語に引きずられた英語の文章を書いてしまうことを防げます。つまり、日本語または英語のメモを見ながら、英語のアブストラクトのテンプレートを埋めて完成させると、効率的かつ効果的に、読みやすい英文アブストラクトを作成することができるのです。

それでは、実際にアブストラクトを作成してみましょう。

　一例として、「パノラマサイズの三次元形状の計測」を
テーマとしたアブストラクトを作成します。「計測のため
には多視点点群の登録が必要であり、その登録に光学マー
カーを使う」が新規な点です。

　先の問いに対する答えを考え、英語または日本語で箇条
書きにします。日本語で作成する場合にも、英単語がわか
れば単数と複数の別を整えながら書き出しておくと、後の
英文の作成時に役立ちます。なお、先にこの練習の日本語
全文を読みたい読者の方は、本節の最後に掲載している
Tips for Readers「タイトルとアブストラクトのブラッシ
ュアップ」をご覧ください。

1　解決したい問題は何ですか➡【1. 導入】

- パノラマサイズの三次元形状の計測（panoramic three-dimensional shape measurement）には多視点点群の登録（multi-view point clouds registration）が必要。
- 高価な装置（expensive devices）、自在登録できない物理的マーカー（inflexible physical markers）を使用。

2　何をどのように行いましたか➡【2. 今回の研究】

- 物理的マーカー（physical markers）に代わる光学マーカー（optical markers）を、光学マーカーアシスト登録法（optical-markers-assisted registration）で生成。
- プロジェクタ（低価格）（inexpensive projector）でマーカーを投影。物体表面から投影されたマーカーをカメラで撮像し、3Dセンサーで三次元点群（3D point

clouds）を取得。

- 360度の三次元形状（360-degree 3D shape）を構築。

3 得られた知見・推論を教えてください
➡【3. 主な結果と今後】

- 大型で複雑な物体の計測（large-scale and complex objects）で精度と効率（accuracy and efficiency）を実証。
- 精度低下なしに自在に登録（flexible registration）可能。

　アブストラクトは本来、論文の本文の執筆が終わってから最後に要約するものですが、本書の読者の方には、研究のどの段階であっても、部分的にアブストラクトを英語で書いておくことをおすすめします。

　例えば、研究テーマを決めた時点で【1. 導入】が執筆可能になります。日々の実験から【2. 今回の研究】をまとめておくことができます。アブストラクトの作成を通じて、どのような目的で何の研究を行っているかを研究者自身が書き出すことで頭の中を整理でき、研究のエッセンス（the nature of your research）を抽出することで、論文に書きたい内容や書くべき内容（the scope of your research）を研究者自身が的確に把握できるでしょう。

▶ステップ2……英文テンプレートに当てはめて執筆する

　ステップ1で作成したメモを元に、抽出したアイディアを英語の雛形に当てはめて英文を作成します。基本のテンプレートは次の通りです。具体的な表現例を含めた詳しいテンプレートは、第6章～第8章に掲載しています。

基本のテンプレート

Abstract

1. 導入
【研究の主題の紹介】（第6章1節）

This paper presents/describes/proposes/demonstrates/analyzes/investigates/focuses on [**a**].

本稿は（ **a** ）に関するものである。

[**a**] require(s)/necessitate(s)/use(s)/involve(s) [**b**].

[**b**] is(are) crucial/indispensable in/for [**a**].

[**b**] is(are) an indispensable/integral tool for/part of [**a**].

（ **a** ）するためには、（ **b** ）が重要／必要である。

[**a**] rely(ies) on/depend(s) on [**b**].

（ **a** ）は、（ **b** ）に依存している現状がある。

[**b**] has(have) increased the need/significance of/for/to [**a**].

（ **b** ）によって、（ **a** ）の必要性／重要性が高まっている。

[**a**] has(have) attracted/gained attention due to [**b**].

近年、（ **b** ）のために、（ **a** ）に注目が集まっている。

[**a**] has(have) been developed to/for [**b**].

（ **b** ）のための（ **a** ）が開発されてきた。

[**a**] has(have) shown/caused/別動詞 [**b**].

（ **a** ）は、（ **b** ）となってきた（具体的な内容）。

【研究限界の提示】（第6章2節）

[**a**] remain(s) unclear/(largely) unknown/unexplored/controversial/undefined/poorly defined.

（ **a** ）はまだ明らかになっていない。

[**a**] remain(s) a challenge/controversial.
（　**a**　）は難しい／議論の余地がある。

[**a**] is(are) incapable of [**b**].
（　**a**　）は、（　**b**　）することができない。

Conventional [**a**] [**b**].
従来の（　**a**　）では（　**b**　）してしまう。

[**a**] is(are)/has(have) been limited/restricted by [**b**].
（　**a**　）には、（　**b**　）の限界がある。

[**a**] has(have) been rarely investigated/studied/analyzed.
（　**a**　）はほとんど調査／研究／分析されてこなかった。

Data is(are) sparse/lacking for/on [**a**].
No data has(have) been reported/is(are) available for/on
[**a**].
Scattered data is(are) present on [**a**].
（　**a**　）に関するデータが不足している。

Little is known/understood about [**a**].
（　**a**　）は、ほとんど知られていない。

2. 今回の研究
【何を行ったか】（第7章1節）

Here, we report/demonstrate/present/propose [**a**]
that/for/of/to [**b**].
本論文では、（　**b**　）である（　**a**　）について報告／実証／
提示／提案する。

In this study, we have developed [**a**].
本研究では、（　**a**　）を開発した。

In this work/study, we demonstrate [**a**].
本研究では、（ **a** ）を実証する。

This study aims to [**a**].
Our aim is to [**a**].
研究の目的は、（ **a** ）することである。

This work/study presents/uses [**a**].
本研究では、（ **a** ）を提示／使用する。

Our hypothesis is that [**a**].
We hypothesize that [**a**].
（ **a** ）という仮説を立てた。

【どのようにして行ったか】（第7章2節）

Our/The [**a**] has(have) [**b**].
Our/The [**a**] consist(s) of/is(are) composed of [**b**].
本研究の（ **a** ）は、（ **b** ）で構成されている。

[**a**] is(are)/was(were) [**b**].
（ **a** ）を（ **b** ）した。

This study uses/used (We use/used) [**a**] to [**b**].
本研究では、（ **a** ）を使って（ **b** ）を行った。

[**a**] was(were) [**b**], followed by [**c**].
（ **a** ）を（ **b** ）した。その後で、（ **c** ）を行った。

To [**a**], [**b**] is(are)/was(were) [**c**].
（ **a** ）するために、（ **b** ）を（ **c** ）した。

3. 主な結果と今後
【結果の提示】（第8章1節）

For [c], [a] [b].
[a] [b] for [c].
（ c ）については、（ a ）（ b ）である／あった。

[a] [b] in [c].
（ c ）において、（ a ）は（ b ）である／あった。

No[a] has(have) been/was(were)/is(are) observed in [b].
（ b ）において、（ a ）は観察されなかった。

[a] showed/exhibited/had a higher [c] than [b].
（ a ）は、（ b ）よりも高い（ c ）を示した。

[a] outperformed [b] in/in terms of [c].
（ a ）は、（ b ）よりも良い（ c ）を示した。

[a] was improved by [c] compared with [b].
[a] increased/decreased by [c] compared with [b].
（ a ）は、（ b ）に比べて（ c ）分の改善／増加／減少が見られた。

The results/Our experimental results agree with/consistent with [a].
結果が（ a ）と一致した。

[a] result(s) from [b].
[b] result(s) in/lead(s) to/cause(s) [a].
（ a ）は、（ b ）の結果生じた。

【推論】（第8章2節）

[a] [b], suggesting/indicating [c].
（ a ）は（ b ）であった。このことから（ c ）であると思われる。

Our finding(s)/experiments indicate(s)/demonstrate(s)/
show(s)/prove(s)/verify(ies)/reveal(s)/unveil(s)/suggest(s)/
imply(ies) that [**a**][**b**].

今回の研究によって、(**a**) が (**b**) であるとわかった。

Our finding(s)/Our experiments/We identify(ies) [**a**].
Our finding(s)/Our experiments highlight(s) [**a**].

今回の研究によって、(**a**) が特定/強調されている。

We/These findings show/provide evidence that [**a**][**b**].

(**a**) が (**b**) であると確かに示された。

We expect/show/conclude/find that [**a**][**b**].

(**a**) が (**b**) である/となると考えている。

[**a**] seem(s)/appear(s) [**b：形容詞**].
[**a**] seem(s)/appear(s) to [**b：動詞**].
[**a**] is/are likely to [**b：動詞**].

(**a**) は (**b**) と思われる。

[**a**] can be explained by [**b**].

(**a**) は、(**b**) によって説明できる。

【研究の示唆・今後】（第8章3節）

[**a**] raise(s)/suggest(s) the possibility that [**b**][**c**].
[**a**] raise(s)/suggest(s) the possibility of [**c**].
[**a**] raise(s)/suggest(s) the possibility to [**c**].

(**a**) により、(**b**) が (**c**) する／(**c**) の可能
性が高まった／示唆された。

[**a**] may be applicable/useful for [**b**].

(**a**) は (**b**) に応用できる／有益である可能性がある。

[　a　] hold(s) promise to [　b　].

[　a　] promise(s) [　b　].

（ a ）は、（ b ）であることが見込まれる。

[　a　] offer(s)/has(have) potential in/to [　b　].

[　a　] provide(s)/create(s) a route for/to [　b　].

（ a ）は、（ b ）における可能性を秘めている／

（ a ）により、（ b ）のための道筋ができた。

Our study provides insights into [　a　].

本研究により、（ a ）に新しい考えがもたらされた。

This study offers [　a　] implications for/to [　b　].

本研究により、（ b ）への（ a ）な示唆がもたらされた。

[　a　] enable(s)/allow(s)/will enable/allow [　b　].

（ a ）によって、（ b ）が可能になる。

[　a　] need(s) further attention/investigation/research.

（ a ）を今後さらに調査していく必要がある。

▶ステップ3……読み通してチェックする

　アブストラクトが書けたら、全体を読み通してチェックしましょう。名詞の数と冠詞が正しいか、適切な用語を使っているか、適切な構文と適切な時制を使って読みやすくストーリーを展開できているかを確認します。第2章〜第4章で紹介する陥りがちな英文が含まれていないかにも留意しながら、正しく、明確で簡潔に書けているか確認します。

　ステップ1で書きたい内容を決定したら、ステップ2で例えば次のように、抜粋したテンプレートを使います。

[**a**] requires [**b**]. Conventional [**a**] [**b**]. This study presents [**a**]. [**a**] were [**b**]. Our experiments highlight [**a**]. [**a**] enables [**b**].

（ **a** ）には、（ **b** ）が必要である。従来の（ **a** ）では（ **b** ）してしまう。本研究では、（ **a** ）を提示する。（ **a** ）を（ **b** ）した。今回の研究によって、（ **a** ）が強調されている。（ **a** ）によって、（ **b** ）が可能になる。

加えて、文の流れを良くするために、逆接のHowever,を2文目の前に挿入します（第9章3節）。

▼

完成

Panoramic three-dimensional (3D) shape measurement **requires** multi-view point clouds registration. **However, conventional** registration methods use expensive devices or inflexible physical markers. **This study presents** an optical-markers-assisted registration (OMAR) method using optical markers that replace physical markers. The markers **were** projected with an inexpensive projector and **were** imaged with cameras to capture 3D point clouds and recover the 360-degree 3D shape. **Our experiments highlight** the accuracy and efficiency of the OMAR method for large-scale and complex objects. The OMAR method **enables** flexible registration of multi-view point clouds without lowering the accuracy of registration.

　メモとして抽出した専門用語となる名詞を、タイトルの場合と同じ要領でつなぎますが、その際、型に当てはめて英文を作ります。主語➡動詞➡目的語を並べる平易なSVO・能動態を中心としつつ、必要に応じて受動態も使うことができます。

　論文アブストラクトを作成する際、日本語のアブストラクトを先に作ってから英語に訳すと、日本語の特徴に引きずられて難解な英文となってしまうことが少なくありません。例えば、書き出しの日本語を次のように作成したとしましょう。英訳するとどうなるでしょう。

「パノラマサイズの三次元形状の計測を行うためには、多視点点群を登録する必要がある。一方、従来の登録手法では、高価な装置や自在登録できない物理的マーカーを使用していた。」

✗ **In order to** perform panoramic three-dimensional (3D) shape measurement, **it is necessary** to register multi-view point clouds. **On the other hand, in conventional registration methods,** expensive devices or inflexible physical markers **were used**.

　長く、複雑になってしまいました。In order toは、アメリカ化学会の「ACSスタイルガイド（The ACS Style

Guide, 3rd edition)」には、toだけで問題ないと記載されています。it is necessary toやOn the other hand,は単語数が多く、さらに、2文目では「従来の登録手法では」を直訳したin conventional registration methodsが不自然に響き、そのうえ文の結論を定める「動詞」が出るのが遅くなっています。このような不具合を減らすために、先に説明した手順にしたがってアブストラクトを作成することをおすすめします。加えて、日本語を元に英文を作成した場合に陥りやすい表現がどのようなものであるかを把握することも大切です。そのような表現を意識的に避け、国際ジャーナルから抽出した雛形表現にできる限り自分の表現を当てはめて執筆することで、伝わりやすいアブストラクトを作成できるのです。

　本章では、タイトルとアブストラクトの役割を説明し、タイトルの作成方法、アブストラクトの執筆方法の概要を伝えました。思ったよりも簡単かもしれない、と思ってもらえたことを願っています。早速執筆に入りたい読者の方は、第5章と第6章以降のテンプレートへ飛んでください。非ネイティブが目指すべき英語の考え方をさらに学びたい方は、この先へと読み進めてください。

学生 キーワードを決めてタイトルを作成する方法、さらに、書きたい内容をメモして英語の雛形に当てはめてアブストラクトを作成する方法を学びました。しかし、実際には、日本語をすべて作成してから英語を書きたくなってしまいます。

―― 日本語から英語に直訳すると、「日本語の姿をした英文」が完成してしまいます。日本語の特徴を引き継いで、長く、複雑で読みづらくなってしまうことがあります。先ほど紹介したアブストラクトの日本語を元に、試しに訳してみましょう。

「パノラマサイズの三次元形状の計測を行うためには、多視点点群を登録する必要がある。一方、従来の登録手法では、高価な装置や自在登録できない物理的マーカーを使用していた。そこで、本研究では、物理的マーカーに代わる可能性のある光学マーカーを用いた光学マーカーアシスト登録法（OMAR）を提案する。実験では、安価に入手できるプロジェクタでマーカーを投影し、カメラを使ってマーカーを撮像した。その結果、三次元点群データを取得し、360度の立体形状を復元することができた。大型で複雑な物体にOMAR法を適用した結果、精度と有効性を実証できた。そのため、OMAR法を用いることで、多視点点群の登録精度を低下させることなく、柔軟な登録が可能になると考えている。」

学生 はい、一部、機械翻訳の力も借りて日本語から訳してみました。

In order to perform panoramic three-dimensional (3D) shape measurement, **it is necessary to** register multi-view point clouds. **On the other hand, in conventional registration methods,** expensive devices or inflexible physical markers **were used. Therefore, in this study,** an optical-markers-assisted registration (OMAR) method using optical markers that may replace physical markers **was proposed.** In the experiments, **we projected** markers with an inexpensive projector and imaged them with cameras. **We could** capture 3D point clouds and recovered the 360-degree 3D shape. **As a result of our experiments, it was demonstrated that** our OMAR method ensured the accuracy and effectiveness **when it was** used for large-scale and complex objects. **Therefore, we believe** that the OMAR method **will make** flexible registration of multi-view point clouds **possible while not lowering** the accuracy of registration.

——文法的に誤っているわけではありませんが、太字部分の文構造や単語の選択が不適切で、全体として読み取りづらくなっています。In order to...、it is necessary to...、On the other hands, ... は単語数が多くて複雑です。DeepL翻訳（https://www.deepl.com/translator）でもまったく同じ In order to...、it is necessary to...、On the other hand,... が出るようです（2023年7月に実施）。昨今の機械翻訳は精度が上がっているのですが、日本語の特徴を引き継いでしまうので、人が作成した文章と同様に複雑な英文が出力されてしまうという問題があります。

学生 機械翻訳を一部使用したとき、結果が良いのか悪い

のか判断できませんでした。指摘の部分や、ほかにもWe could…やAs a result of our experiments, it was demonstrated that…、あるいはTherefore, we believe that the OMAR method will…という訳が機械翻訳で出ましたが、善し悪しを判断できず、そのまま使用しました。

――機械翻訳を使いこなして時間を短縮しつつ精度を高めるためには、どのような英文を目指すのか、方針を決めることが大切です。it is構文やOn the other hand,といった長い表現は、忙しい読み手に論文を読んでもらうためには使わないと決めてみてください。また、we believe…は「個人的意見」という印象を与えてしまいますので、論文では不適切です。

学生 なるほど。自身の研究を素早く的確に伝えるためには、文法的に正しいだけではなく、非ネイティブが書くべき英文の方針を決めることが大切だとわかりました。

――タイトルはどうですか。「光学マーカーを利用した点群登録によるパノラマ三次元形状計測に関する研究」という日本語に引きずられて、Research on panoramic three-dimensional shape measurement by means of point cloud registration utilizing optical markersのように複雑になってしまわないよう、作成できますか。

学生 1節で習ったキーワードの抽出と前置詞を使ったつなぎあわせを実践して、これはどうでしょう。

Point cloud registration with optical markers for panoramic three-dimensional shape measurement

――こちらは早くもマスターできましたね。大変よくできました。アブストラクトも同じ要領で、雛形へ当てはめて英文を完成させると不具合が起こりにくくておすすめです。何らかの事情で複雑な表現になってしまった場合にも、自分の力でブラッシュアップできるよう、これから学習を開始しましょう。

陥りやすい難解な文構造

広い読者層にアブストラクトを読んでもらうためには、可能なかぎりやさしい表現を選択することが大切です。適切な専門用語を使いながらも、文構造を定める動詞を単純化することで、忙しい読者にも、英語が苦手な読者にも、読んでもらえる英文が書けるようになります。

本章では、文構造に関して英語の非ネイティブ話者が陥りやすい特定の英語表現に着目し、国際ジャーナルに掲載された文章をお手本にしながら、ブラッシュアップの方法を紹介します。本書では、さまざまな分野の科学技術論文を扱いますので、出典元の論文のタイトルや掲載ジャーナルの名称から分野を確認しながら読み進めてください。

2-1 仮主語 It is 構文

【〜するためには、〜が必要／重要である】

✗ In order to ___, it is necessary/essential/important to ___.

〇 ___ing requires/necessitates/involves/___ing ___.

英語は語順が厳格で、はじめに主語を、その直後に動詞を配置する言語です。主語で文の主体を定め、次に配置する動詞で文の構造を決めます。一方で、日本語を元に書いた英文は、主語から文が開始されない場合や仮主語itが使われることも多く、その結果、情報が出るのが遅くなります。そこで、主題を「主語」にして、「動詞」、「目的語」を並べる平易な形へと書き換えます。requireは「必須である」、necessitateは「必然的である」、involveは「必須要素として含む」を表し、いずれも日本語で「必要」や「重要」という場合に使えます。

例 1

神経系の機能と行動の関連を調べるためには、空間的、時間的規模で神経細胞の活動を監視する必要がある。

✕　**In order to investigate** links between…, **it is necessary to monitor** neuronal activity….

○　**Investigating** links between nervous system function and behavior **requires monitoring** neuronal activity at a range of spatial and temporal scales.

Spatiotemporal dynamics in large-scale cortical networks.
CURRENT OPINION IN NEUROBIOLOGY, 77, Dec 2022

例2

大気と海洋炭素循環の関係を理解するためには、表層水の二酸化炭素分圧の地理的、時間的変化の測定が必須である。

✗ **In order to understand** the relationship..., **it is essential to measure** geographical and temporal variations....

○ **Understanding** the relationship between atmospheric and oceanic carbon cycles **necessitates measuring** geographical and temporal variations of surface water partial pressure of carbon dioxide (pCO_2).

Decadal Variability of Satellite-Derived Air-Sea CO_2 Flux in Southwestern Part of the Bay of Bengal. *OCEAN SCIENCE JOURNAL*, 57 (2), pp. 211-223, Jun 2022

例3

農業ランドスケープにおいて農薬使用量を減らすためには、農薬散布に影響を与える環境要因と、続いて起こる害虫への影響を理解することが重要である。

✗ **In order to reduce** pesticide use in agricultural landscapes, **it is important to understand** the environmental drivers....

○ **Reducing** pesticide use in agricultural landscapes **involves understanding** the environmental drivers that affect pesticide application and its subsequent effect on pests.

Pesticide use in vineyards is affected by semi-natural habitats and organic farming share in the landscape. *AGRICULTURE ECOSYSTEMS & ENVIRONMENT*, 333, Aug 1 2022

【～が～であることは特記すべき・重要である】

✗   It should be noted that ＿＿.

○   Notably, ＿＿.

「特記すべきである」や「重要である」と表したい場合は、It should be noted that ＿＿ や It is important that ＿＿ といった複雑な仮主語構文を避けて、文頭に副詞を配置します。

例1

総アントシアニン量とクロロゲン酸量が著しく多いオートミールバーについて、全体的な好み、食欲、摂取量の面で、クッキーと有意差が見られなかったことは特記すべきである。

✗   **It should be noted that** the oatmeal bars....

○   **Notably**, the oatmeal bars with significant amounts of total anthocyanin and chlorogenic acid did not significantly differ from the cookies with respect to overall liking, desire to eat, and the amount consumed.

Children's liking and wanting of foods vary over multiple bites/sips of consumption: A case study of foods containing wild blueberry powder in the amounts targeted to deliver bioactive phytonutrients for children. *FOOD RESEARCH INTERNATIONAL*, 131, May 2020

例2

損傷した神経細胞反応が食事による減量後にも回復しない
という点は重要である。

✕ **It is important that** the impaired neuronal
responses....

○ **Importantly**, the impaired neuronal responses
are not restored after diet-induced weight loss.

Brain responses to nutrients are severely impaired and not
reversed by weight loss in humans with obesity: a
randomized crossover study. *NATURE METABOLISM*, 5 (6),
pp. 1059-1072, Jun 2023

2-2 **There is/are 構文**

【〜がある】

✕ There is(are) ＿＿.
○ ＿＿ is(are) available.
　（〜が利用可能な状態にある）
○ ＿＿ have been developed/reported for ＿＿.
　（〜のための〜が開発された・報告されている）
○ ＿＿ include ＿＿.（〜には〜がある）

　日本語では「存在」を表す「〜がある」を使うことが少
なくありませんが、そのような日本語に相応するThere
is/are構文は情報が出るのが遅くなります。まずは、
There is/areの部分を削除して、主語から文を開始します。

構造化された走行環境のみに焦点を当てた自律走行車用の
データセットがいくつか存在している。

✗ **There are** several datasets for autonomous
vehicles....

○ Several datasets **are available for** autonomous
vehicles focusing only on structured driving
environments.

Explainable AI in Scene Understanding for Autonomous Vehicles
in Unstructured Traffic Environments on Indian Roads Using the
Inception U-Net Model with Grad-CAM Visualization.
SENSORS, 22 (24), Dec 2022

be available forで「利用可能な状態にある」ことを表
します。

アップルウォッチやKARDIA機器など、心房細動を検出す
るためのポータブル心電図（ECG）記録デバイスがある。

✗ **There are** portable ECG recording devices
including Apple Watch and KARDIA devices....

○ **Portable ECG recording devices** including Apple
Watch and KARDIA devices **have been developed
for** AF detection.

ECG = electrocardiograms　AF = atrial fibrillation

Enhancing the detection of atrial fibrillation from wearable sensors
with neural style transfer and convolutional recurrent networks.
COMPUTERS IN BIOLOGY AND MEDICINE, 146, Jul 2022

have been developed for... で「〜が開発されてきた」
と表現できます。

例3

最も優先すべき菌類保全地域として、草本湿地、熱帯林、
森林があげられる。

✗ **There are** herbaceous wetlands, tropical forests,
and... **as** fungal conservation areas of highest
priority.

○ Fungal conservation areas of highest priority
include herbaceous wetlands, tropical forests,
and woodlands.

Global patterns in endemicity and vulnerability of soil fungi. *GLOBAL CHANGE BIOLOGY*, 28 (22) , pp. 6696-6710, Nov 2022

「〜として、〜がある」という例示にinculdeが使えます。
例示する内容に対して上位の概念がある場合には、それを
主語にして「含む」と表すことができます。

2-3 文頭に出る句

【〜に伴い／のために、〜である】

✗ With/Due to/Because of _____, there is(are)/has
(have) been _____.

○ _____ has(have) created/increased/generated_____.

読み手が英文の主語と動詞を明確に読みとれるようにするためには、文章を主語から開始し、直後に動詞を配置することが大切です。アブストラクトの書き出しで「〜に伴い（〜のために）、〜である」などと背景を導入する場合に、日本語と対応させると、「〜に伴い（〜のために）」が句として文頭に出てしまいがちです。日本語で文頭に出がちな句は、英文では無生物主語として使えます。無生物主語に続けて、「〜を生成する」や「〜を増加する」を表す他動詞を選択します。

例1

世界規模の人口急増と産業拡大によって、深刻な水質汚染の懸念が生じている。

✗ **Due to the rapid population growth and industrial expansion worldwide**, serious water contamination concerns have occured.

○ **The rapid population growth and industrial expansion worldwide have created** serious water contamination concerns.

Preparation and modification methods of defective titanium dioxide-based nanoparticles for photocatalytic wastewater treatment-a comprehensive review. *ENVIRONMENTAL SCIENCE AND POLLUTION RESEARCH*, 29 (47), pp. 70706-70745, Oct 2022

「〜によって」や「〜のために」を表すDue to ＿＿, のような文頭の句を控えます。

例2

途上国において産業活動や商業活動が盛んになったため、経済活動に起因する廃棄物が増加し、管理が煩雑な廃棄物による環境問題が生じている。

✗ **Because of the development** of industrial and commercial activities..., the amount....

○ **The development** of industrial and commercial activities in developing countries **has increased** the amount of waste generated by economic activities, **which has generated** environmental problems due to the complexity of waste management.

Opportunities and challenges for the waste management in emerging and frontier countries through industrial symbiosis. *JOURNAL OF CLEANER PRODUCTION*, 363, Aug 20 2022

　無生物主語から文を開始し、他動詞を使った能動態で表現します。

2-4 主語から遠い動詞

【～するための～が開発された】
✗ ＿＿ for ＿＿has(have) been developed.
○ ＿＿ has(have) been developed for ＿＿.

　「～するための～」を主語にすると、主語が長くなり「開

発された」を文末に配置することになるため、英文全体の
バランスが悪くなります。主語の直後に動詞を移動するだ
けで文構造が改善できます。

例

機械学習技術や最適化技術の数々を実装した自動要約生成
のための抽出手法が過去10年で複数開発された。

✗ During a decade, several extractive approaches
for automatic summary generation that
implements a number of machine learning and
optimization techniques **have been developed**.

○ During a decade, several extractive approaches
have been developed for automatic summary
generation that implements a number of
machine learning and optimization techniques.

Recent automatic text summarization techniques: a survey.
ARTIFICIAL INTELLIGENCE REVIEW, 47 (1), pp. 1-66, Jan
2017

○ **A decade has seen** several extractive approaches
developed for automatic summary generation
that implements a number of machine learning
and optimization techniques. （筆者作成）

「〜が開発された」を文末に配置すると、主語が長くなっ
てしまうので、動詞を主語の直後に移動します。

　文頭に出ていた「10年」を無生物主語に使い、A
decade has seen（10年が見た）とも表現できます。

2-5 受動態

> **【本稿では、〜を行った】**
> ✗ In this paper, ＿＿＿ was(were)/is(are) ＿＿＿.
> ○ This paper ＿＿＿.

　英語論文では「人」ではなく技術や物体が主語になることが多いために、受動態が多いと思われがちですが、実際には、無生物を主語にして能動態で書くことができる場合が少なくありません。主語と動詞を明確に並べるとともに、文構造を可能な限り平易にすることが大切です。

「本稿では、〜を行った」をそのまま英語にすると、日本語と同様に動詞が最後に配置されてしまいがちです。特に、主語が長いだけでなく、後半が受動態になると、バランスの悪い英文になります。主語の前の「本稿では」に無生物主語を使えば文構造を改善できます。主語はThis paper/This study/This workなど、動詞はpresent（発表する）/investigate（調査する）/analyze（分析する）demonstrate（実証する）など、文脈に応じて様々な表現が可能です。

例1

本稿では、1994年〜2016年におけるOECD加盟35カ国での排出量デカップリング傾向を強める可能性のある一連の要因を分析した。

（筆者注：排出量デカップリングとは、経済成長と排出量を切り離すこと）

✗ In this paper, **a set of factors**... **were analyzed**.

○ **This paper analyzes** a set of factors that have the potential to increase the rate of emissions decoupling in 35 OECD countries 1994-2016.

Recent automatic text summarization techniques: a survey. *ARTIFICIAL INTELLIGENCE REVIEW*, 47 (1), pp.1-66, Jan 2017

> 【本研究では、～を開発した・使用した】
>
> ✗ In this study, _____ has(have) been developed.
> ○ In this study, we have developed _____. / This study uses _____.

　論文の著者を主語にして、we have developed ___ とすることも可能です。または、主語を選ばない万能な動詞useを使えば、This studyを主語にして現在形で表現することも可能です。なお、This study develops ___ とすることはできません。理由は、study（研究）はdevelop（開発）ができず、開発には人の関与が必要だからです。

例2

本研究では、治療用ペプチドを汎用的に予測するバイオインフォマティクスツール「PEPred-Suite」を開発した。

✗ In this study, PEPred-Suite, ... **has been developed.**

○ In this study, **we have developed** PEPred-Suite, a bioinformatics tool for the generic prediction of therapeutic peptides.

PEPred-Suite: improved and robust prediction of therapeutic peptides using adaptive feature representation learning.
BIOINFORMATICS, 35 (21), pp. 4272-4280, Nov 1 2019

○ **This study uses** PEPred-Suite, a bioinformatics tool we developed for the generic prediction of therapeutic peptides.

（筆者作成）

Tips for Readers

時制3種を理解しよう

学生 「今回我々は問題解決できるツールを開発した」は We developed a tool that can solve the problem. でOKですか。

——間違ってはいませんが、「ツールを過去に開発した」ことを表しています。現在完了形を使ってWe have developed a tool...とすれば、「開発したツールを今回使っている」、つまり過去の出来事が現在も影響を与えていることを表せます。

学生 論文では「今」を大切にすると聞いたことがあります。それでは、現在形でWe develop a tool...もOKですか。

——英語の現在形は定常的に行っていることを表します。今日も明日もツールを開発していることを表したければそれで良いのですが、特定のツールが既に開発できているのであれば不適です。発想を変えてみましょう。

This paper presents our tool...や Our study uses a tool we developed...と表現できます。

学生 無生物を主語にしたことで、現在形も使えるようになるのですね。

——論文アブストラクトでは、現在形、現在完了形、過去形の3種の時制を使いこなしましょう。過去形は実験な

ど、実施を終えた事象の報告、現在形は普遍的事実、現在完了形は過去に始まり今も効果を生み出していることに使いましょう。

学生　では、「輝度を測定した」は実験の報告だからThe brightness level was measured. ですね。

——そのとおりです。さらに、アブストラクトが論文の「広告塔」であることを考えると（第1章冒頭）、アブストラクトが宣伝しているのは論文の中身ですから、The brightness level is measured. と、現在形をあえて使うことで、「本論文において輝度が測定されている」と表すスタイルも可能です（第7章2節）。論文を書くとき、表したい事象がいつ起こったのかに着目して時制を選択してしまいがちですが、少し気持ちを楽にして、その事象を読み手にどのように伝えたいかという「見せ方」に注目するとよいでしょう。

ありがちな基本の不具合

第3章

文法的な誤りが含まれていると文書全体の信頼性が失われます。さらに、誤った情報として伝わってしまうおそれもあります。本章では、基本的な不具合としてありがちな名詞の誤り、話し言葉の使用、著者の意見の不適表現を取り上げ、それらの解決法を示します。

3-1 数と冠詞の不具合

名詞の判断は3つのステップに従います。辞書も参考にして決定します。

ステップ1……theかどうか

　　　　判断➡読み手と書き手に共通認識があるか。

　　　　　例➡ the global environment「地球環境」

ステップ2……数えるかどうか

　　　　判断➡その名詞に輪郭があるか。併せて可算・不可算を辞書（例：ロングマン英英辞書 https://www.ldoceonline.com/jp/）で確認する。

　　　　　例➡ problem「問題」、lake「湖」、gene「遺伝子」は可算、pollution「汚染」は不可算

例1

大気汚染は、地球環境にとって深刻な問題である。

✕ **The** air pollution is **severe problem** for **global environment**.

○ **Air pollution** is **a severe problem** for **the global environment**.

Max Fast Fourier Transform (maxFFT) Clustering Approach for Classifying Indoor Air Quality. *ATMOSPHERE*, 13 (9), Aug 2022

　air pollution（大気汚染）は、ステップ1で特定できず、ステップ2で輪郭がなく、かつ辞書でも不可算のため、無冠詞を選択します。誤ってtheを使うと、this air pollution（この大気汚染）といった意味になり、ほかの大気汚染とは異なる特殊な大気汚染となってしまうため不適です。「問題」は、ここでair pollutionをsevere problem（深刻な問題）と言い換えています。「数ある問題のうちの1つ」を表すため、不定冠詞aを選択します。

problem（問題）は可算名詞のため、aを省略することは
できません。さらに、theを使うには読み手と書き手が唯
一の問題として認識できなければならないため不適です。
「地球環境」は、読み手と書き手にとって共通の概念とし
て特定できるのでtheが必要です。無冠詞でglobal
environmentとすることはできません。

例2

湖は、水生環境における抗生物質耐性遺伝子や病原性耐性
菌の貯蔵庫や拡散経路として機能している。

✗ **Lake** acts as one of the reservoirs and dispersal
routes of **antibiotic resistance gene (ARG)** and
pathogenic resistant bacteria in **aquatic
environment**.

○ **Lakes** act as one of the reservoirs and dispersal
routes of **antibiotic resistance genes (ARGs)**
and pathogenic resistant bacteria in **aquatic
environments**.

Biogeography and diversity patterns of antibiotic resistome in
the sediments of global lakes. *JOURNAL OF ENVIRONMENTAL
SCIENCES*. 127, pp. 421-430, May 2023

lake（湖）、gene（遺伝子）は、いずれも不特定なもの
を指すため、ステップ1でtheを選択せず、ステップ2で
は輪郭があるとして可算と判断します。辞書でも可算名詞
です。数の選択で、「湖は〜」という一般論には無冠詞・
複数形（lakes）が最も自然です。さらに、「遺伝子」は複

数存在すると考え複数形（genes）が適切です。gene（遺伝子）を複数形にすると、略語ARGにも複数形のsが必要です。aquatic environment（水生環境）は、不特定な様々な環境が存在していると考えられるため無冠詞・複数形とします。

3-2 話し言葉

　論文での不適切な表現として、話し言葉の使用があげられます。論文は正式な文書ですから、話し言葉の使用はやめ、できるだけ正式な表現を選択しましょう。例えば、接続詞AndやButの文頭での使用や接続詞soの使用は不適切です。動詞の選択については、want（〜が欲しい）やtry（〜を試す）、get（〜を得る）は不適切です。それぞれに解決法がありますので、ここに一覧を示します。

×不適な表現	○改善案
文頭の And	削除、Additionally,
文頭の But	However,
接続詞 so	thus
want to や would like to	aim to, plan to, focus on
try	attempt, plan, aim
get	obtain（得る）、become（なる）、develop（病気などを発症する）

do	具体的な動詞、conduct, perform
hard	difficult, challenging（難しい）
very + 形容詞	very ➡ highly や incredibly, または形容詞と併せて一語に変える。 例：very important ➡ crucial
just	simply, only, alone
way	manner, method, approach
have to	must, または文構造を変更して 「主語 require...」
イディオム （群動詞）	bring about ➡ cause や deliver

例1

筆者らは、サステナビリティに関するテーマやトピックを明らかにし、研究の傾向を見出し、今後の研究で取り組むべき知識格差について特定しようとしている。

✘　We **try to** uncover....

◯　We **aim to** uncover sustainability themes and topics, distinguish research trends, and identify gaps in knowledge that can be addressed in future research.

Understanding Sustainability in Off-Site Construction Management: State of the Art and Future Directions. *JOURNAL OF CONSTRUCTION ENGINEERING AND MANAGEMENT*, 148 (11), Nov 1 2022

本研究では、言葉の模倣がオンライン投稿における互いの承認とどのように関連するかを明らかにしたい。

✗ **In this study, we would like to find....**

◯ **This study focuses on finding** the connection between language mimicry and the peer recognition of online contributions.

Vote or not? How language mimicry affect peer recognition in an online social Q&A community. *NEUROCOMPUTING*, 530, pp. 139-149, Apr 14 2023

would like to や want to は aim to や focus on に変更できます。focus on の後ろには名詞形が必要ですので、ここでは動名詞 finding を使います。

例3

経済や産業の発展により、世界中の人口が都市に集中したことで、不浸透面が増加した。そのため、地表温度が上昇し、都市では都市型ヒートアイランド現象が起こっている。

✗ **So**, the surface temperatures increase and....

◯ Economic and industrial development results in worldwide population concentration in cities, leading to increases in impervious surfaces. **Thus**, the surface temperatures increase and cities are exposed to the urban heat island effect.

The effects of climate on land use/cover: a case study in Turkey by using remote sensing data. *ENVIRONMENTAL SCIENCE AND POLLUTION RESEARCH*, pp. 5688-5699, Jan 2023

接続詞 so を使いたいと感じた場合には、副詞 thus に変更すれば上手く表せます。

例4

腸内フローラの異常や関連疾患を予防するために、消化管内の病原体を早期に発見する必要がある。

✗   Pathogens in the GI tract **have to** be detected....

○   Pathogens in the GI tract **must** be detected early to prevent dysbiosis and related diseases.

GI = gastrointestinal

Biosensors for point-of-care testing and personalized monitoring of gastrointestinal microbiota. *FRONTIERS IN MICROBIOLOGY*, 14, May 5 2023

have to は主に口頭で使用する表現です。must は書き言葉で使用できます。

例5

リモートセンシング画像を使って都市表層水の時空間分布をモニタリングすることは、都市計画と管理において、非常に重要である。

✗ Monitoring... is **very important**....

○ Monitoring the spatio-temporal distribution of urban surface water from remotely sensed images is **crucial** for urban planning and management.

Urban Surface Water Mapping from VHR Images Based on Superpixel Segmentation and Target Detection. *IEEE JOURNAL OF SELECTED TOPICS IN APPLIED EARTH OBSERVATIONS AND REMOTE SENSING*, 15, pp. 5339-5356, Jun 10 2022

別の形容詞が見つからない場合は、veryをincredibly やhighlyなどの別の副詞に言い換えることが可能です。

例6

加齢により、アルツハイマー病の発症リスクが高まる。

✗ Aging increases the risk to **get** Alzheimer's disease.

○ Aging increases the risk to **develop** Alzheimer's disease.

Heart failure decouples the precuneus in interaction with social cognition and executive functions. *SCIENTIFIC REPORTS*, 13 (1), Jan 23 2023

例7

グリホサートに耐性を有する遺伝子組み換え作物は、農場経営に大きな経済的利益をもたらしている。

✗ Genetically modified (GM) crops tolerant to glyphosate **have brought about** significant economic benefits in farm management.

○ Genetically modified (GM) crops tolerant to glyphosate **have delivered** significant economic benefits in farm management.

Development of Transgenic Maize Tolerant to Both Glyphosate and Glufosinate. *AGRONOMY-BASEL*, 13 (1), Jan 2023

bring about といった群動詞（イディオム）は、力強い印象を与える動詞一語に変更します。

3-3 非具体的な動詞

【動詞「〜する」を具体語に】

動詞は英文の文構造を定める大切な品詞です。日本語は「〜を行う」や「〜する」といった具体的ではない動詞が多いですが、英文では具体的な動詞一語を使います。そのため、performやmakeといった本来の動詞を隠す動詞の使用は最小限としましょう。

例：perform conversion（変換を行う）➡ convert
make adjustment（調整を行う）➡ adjust

例1

太陽光発電装置は、日射量の一部のみしか電気エネルギー変換を行わない。

✗ The Photovoltaic (PV) module **performs conversion of**....

○ The Photovoltaic (PV) module **converts** only a small portion of irradiance into electrical energy.

Green energy extraction for sustainable development: A novel MPPT technique for hybrid PV-TEG system. *SUSTAINABLE ENERGY TECHNOLOGIES AND ASSESSMENTS*, 53, Oct 2022

performs conversionではなく動詞convertを使うことで、明確で簡潔に表現でき、加えて、前置詞ofの選択に悩む可能性もなくなります。

例2

このシステムでは、レーザー溶接部のうち最高温部分を判定し、事前に設定したレーザー加熱温度を維持するように、ダイオードレーザーに供給する電流を調整する。

✗ The system... and makes adjustments to....

○ The system determines the hottest area of the laser weld and **adjusts** the current supplied to the diode laser to maintain the preset laser heating temperature.

Reconstruction of Soft Biological Tissues Using Laser Soldering Technology with Temperature Control and Biopolymer Nanocomposites. *BIOENGINEERING*, 9 (6), Jun 2022

動詞一語で表すことで、adjustmentの可算・不可算の選択、単数・複数の選択、そして前置詞toの選択の必要性がなくなります。

3-4 著者の意見の不具合

　論文の著者の意見を表す「〜と考えられる」に、is thought to や The author believes、ま た は、 助 動 詞 would を使うのは不適です。is thought to は「一般的にそう思われている」、つまり、is generally thought to と理解されてしまい、著者の意見であることが伝わりません。believe を使うと、著者の個人的見解となり、データに基づき客観的に論じるべき論文では不適切です。would は「仮定法」のニュアンスが強く、「〜でしょう（if = 異なる条件の場合には）」という響きになり、著者の意見を明示すべき論文では望ましくありません。

例 1

深層学習モデルを使えば、新型コロナウイルスを正確に検出し、市中肺炎やほかの肺疾患と区別できると思われる。

✘　A deep learning model **is thought to** accurately detect....

○　A deep learning model **can** accurately detect coronavirus 2019 and differentiate it from community-acquired pneumonia and other lung conditions.

Using Artificial Intelligence to Detect COVID-19 and Community-acquired Pneumonia Based on Pulmonary CT: Evaluation of the Diagnostic Accuracy. *RADIOLOGY*, 296 (2) ,pp. E65-E71, Aug 2020

全体として、メディアリテラシーの介入にあたり、ピア主導型の議論や思考発話法が有望なツールとなる可能性が示唆された。

✗ Overall, **the authors believe that** peer-led discussions....

〇 Overall, **our findings suggest that** peer-led discussions and think-aloud procedures may be promising tools for media literacy interventions.

Under the influence of (alcohol) influencers? A qualitative study examining Belgian adolescents' evaluations of alcohol-related Instagram images from influencers. *JOURNAL OF CHILDREN AND MEDIA*, 17 (1), pp. 134-153, Jan 2 2023

　our findings suggest that... はアブストラクトの最終部分で、研究でわかったことを示す定番表現です。

例3

強制対流（電熱係数 500 W/m²K）は、低消費エネルギーで十分な冷却が可能であるため、望ましい冷却方法であると考えられる。

✗ Forced convection (with a heat-transfer coefficient of 500 W/m²K) **would be**....

〇 Forced convection (with a heat-transfer coefficient of 500 W/m²K) **seems to be** a preferable cooling solution that requires low

energy consumption and provides sufficient
cooling.

Adoption of triply periodic minimal surface structure for effective
metal hydride-based hydrogen storage. *ENERGY*, 262, Jan 1 2023

wouldは「もしかすると〜かもしれない」という不明
瞭な意味となるため不適です。seemは「〜と思われる」
と著者が考える表現であり、助動詞shouldと意味が似て
います。

Tips for Readers
「考えている」を英語で表現する

学生 論文で「〜と考えている」という推論を表すとき、
We think... や We believe... を使いたくなるのですがだめで
すか。英語圏の人達は「考えている」をどのように表して
いるのでしょう。
——thinkは「今思いついた」というニュアンスを含んで
しまうこと、believeは「個人的意見」という意味が強い
ことにより、論文での使用は不適切です。次の日本語版
「Nature」にある「著者の考え」を伝える表現に対して、
どんな英語の動詞が頭に浮かびますか。日本語版と英語版
の「Nature」のアブストラクトの最終文を見比べてみま
しょう。和文と英文は一対一には内容が対応しませんが、
「著者たちは考えている」の対応を見ることができます。

　これらの知見は、エリスリトールのレベル上昇と血栓形
成リスクの上昇とのつながりを示している可能性がある
と、**著者たちは考えている。**

「心血管疾患：人工甘味料は心血管疾患に関係する？」
Nature Medicine 2023年2月28日 https://www.
natureasia.com/ja-jp/research/highlight/14397

Our findings reveal that erythritol is both associated with incident MACE risk and fosters enhanced thrombosis.

The artificial sweetener erythritol and cardiovascular event risk. *Nature Medicine*, 29 (3), pp. 710-718, Mar 2023

学生　日本語で言うところの「著者たちは考えている」に、英語ではOur findings reveal that... が使われているのですね。なるほど……。
──もう一例、「～たちは付言している」はどうでしょう。

また、全球的な人為起源のメタン排出量を削減する方法を検討する際には、窒素酸化物の排出量も考慮に入れる必要があると**Pengたちは付言している**。

「気候科学：2020年の大気中メタン濃度の増加率の理由を説明する」*Nature* 2022年12月15日 https://
www.natureasia.com/ja-jp/research/
highlight/14329

Our study also **suggests that** nitrogen oxide emission trends need to be taken into account when implementing the global anthropogenic methane emissions reduction pledge.

Wetland emission and atmospheric sink changes explain methane growth in 2020. *Nature*, 612, (7940), pp. 477-482, Dec 15 2022

学生　Peng et al. said that... やadded that... も使えないでしょうし、どうやって「付言している」を表すのかわかりませんでしたが、同じ要領でOur study suggests that... が使われていて驚きました。

―― この形は論文の定番表現といえるでしょう。We think... や We believe... を使いたくなったときには、無生物主語 finding（知見）や study（研究）、そして動詞 reveal（明らかにする）や suggest（示唆する）を使ってください（ほかの表現も含めて、第8章2節で詳しく説明します）。

気付きにくい不適表現

第**4**章

　日本語に基づいて英文を書くと、気付かないうちに不適切な表現が含まれてしまうことがあります。例えば、「〜した」という日本語に対する過去形の使用、「〜ない」に使用される否定表現、複文構造の多用、文中で変わってしまう主語、接続語の多用について、解決法を示しながら説明します。

4-1　過去形の多用

　英語には時制が数多く存在します。主要な3種類の時間枠である「過去」、「現在」、「未来」に対応して、「過去形」、「現在形」、「未来の表現（will）」があり、加えてそれぞれに進行形、完了形、完了進行形があるため、「過去」、「現在」、「未来」の3種類×4パターンで、合計12種類の時制が英語の時制の全体像となります。

過去	現在	未来
過去形	現在形	未来の表現will
過去進行形	現在進行形	未来進行形
過去完了形	現在完了形	未来完了形
過去完了進行形	現在完了進行形	未来完了進行形

　このような細分化された時制の中で、英語論文で特に多く使用するのは、現在形、現在完了形、そして過去形、加えて未来の表現willです。論文は「今」に焦点を置くため、現在形と現在完了形の使用が比較的多くなります。なお、「現在」の時制のなかで現在進行形は、その瞬間の行為が強調されるため、主に話し言葉で多く使われます。加えて、「現在」の時制のなかで過去の状況と今の状況を一度に表す「現在完了形」は、日本語に相応する時制がないために使いこなしにくいので、意識して使うようにしましょう。例えば「ゲノム解析によって、〜する遺伝子が見つかった」という日本語の場合、「過去」の時制のように感じるかもしれませんが、英語では、次のように現在完了形の可能性も十分にありえます。

統合失調症の分子病態は未だ不明であるが、ゲノム解析により、重要なリスク分子をコードする**遺伝子が見つかった**。

The molecular pathological mechanisms underlying schizophrenia remain unclear; however, genomic analysis **has identified** genes encoding important risk molecules.

Analyzing schizophrenia-related phenotypes in mice caused by autoantibodies against NRXN1α in schizophrenia. *BRAIN BEHAVIOR AND IMMUNITY*, 111, pp. 32-45, Jul 2023

　英語の現在完了形を日本語で表そうと思っても、「遺伝子が見つかってきた」というわけにもいかず、「これまでに見つかった」程度にしか表現できません。加えて、英語では現在形で、genomic analysis identifies genes encoding important risk molecules. と表現しても特に問題はありませんが、日本語では、「ゲノム解析が、〜する遺伝子を見出している」という表現は不自然に響きます。このことから、日本語と同じ感覚で英語の時制を扱おうとすると、過去形が必要以上に増えてしまいます。アブストラクトのすべての文章が過去形になると、今とは切り離された事象となり、論文というよりむしろ報告書となってしまいます。したがって、過去形は特定の「報告する」部分に限って使用することをおすすめします。次の例1〜5は、1つのアブストラクトから抜粋した、連続する英文です。さまざまな時制が使われていることを確認しましょう。各英文の前に示した和訳は、筆者が作成しました。

【〜してきた】【〜し、〜した】【〜できた】
△過去形　○現在完了形　○現在形　○動詞を減らして時制の判断を減らす

例1

都市のヒートアイランド現象は、都市化した地域が増えるにつれ、世界の関心を**集めてきた**。

The urban heat island (UHI) phenomenon **has gained** a global interest with the growing number of urbanized areas.

Urban heat island mitigation via geometric configuration. *THEORETICAL AND APPLIED CLIMATOLOGY*, 149 (3-4), pp. 1329-1355, Aug 2022

過去と今を一度に表す現在完了形が適切です。The urban heat island (UHI) phenomenon **gained**... という過去形は不適切です。

例2

本論文では、街路峡谷の幾何学的形状変化が、ヒートアイランド現象に影響する可能性がある風の流れや気温にどのような影響を与えるかを**調べた**。

This paper **explores** how the alteration of the geometrical canyon may influence the wind flow and air temperatures, which may control the UHI phenomenon.
(同出典)

主語を工夫することで現在形が使えます。In this paper, ___ **was explored**. は不適切です。

例3

都市部の各種建物構成に対して数値流体力学シミュレーションを**実施し**、特に間隔比率や形状の変更によって街路峡谷の風速がどのように変化するかを**把握した**。

Computational fluid dynamics (CFD) simulations **are conducted** on different urban building configurations **to understand** how the wind velocity within the canyon would change with the alteration of the spacing ratio and shape, among other factors.
(同出典)

「〜を行った」という文脈では、Computational fluid dynamics (CFD) simulations **were conducted**...のように過去形の使用も可能ですが、あえて現在形で書くことが可能です。過去に行った実験の記載を現在形で書く発想では、「論文本文において、〜が実施されている」というように、論文の中に書かれている事象を描写しています。「〜を把握した」は、to不定詞を使って「結果〜となった」と表すことで、時制の使用自体を避けられます。

例4

CFDシミュレーションでは、（文献の推奨値よりも）大きなy＋値であっても、建物周辺の速度と温度の調査について正確な結果を**得ることができた**。

For CFD simulations, larger y + values (compared to those recommended in the literature) **can still yield** accurate results for velocity and temperature investigations around buildings.

（同出典）

　日本語では、「シミュレーションによって〜が得られる」という表現よりも「得られた」という過去形のほうが自然に響くため、それを英語にすると could still yield...のように過去形になってしまうことがありますが、現在形で表現できます。

例5

我々の解析によると、建物構成の段階的な増加によって街路峡谷の風速が大幅に上がることが**示された**。さらに、建物間隔比率が高いほど、峡谷の平均気温が低くなることが**わかった**。

Our analysis **shows** that step-up building configurations **can** significantly increase the canyon wind speed. The results **show** that the higher the building spacing ratio, the lower the average canyon temperatures.

（同出典）

「示された」「わかった」もできるだけ現在形で表現しましょう。Our analysis **showed** that... や The results **showed** that... とすると、that節内の時制も一致させることになり、過去形が増え、「もう終わったこと」「現在とは無関係なこと」と表されてしまいます。

4-2 否定表現の多用

【～がない】

「～ない」といえばnotを使った否定文を使いたくなりますが、英語では、肯定文で否定の内容を表す表現が多くあります。例えば、___ have no ___.と表現できます。

> ✗　____ does(do) not have ____.
> ○　____ has(have) no ____.

モデリングの結果、都市の蓄熱は都市の平均気温には直接**影響しない**が、振幅と位相には影響を与えることがわかった。

○ The modelling results show that urban thermal storage **has no** direct impact on the mean urban air temperature, but does affect amplitude and phase.

City-scale morphological influence on diurnal urban air temperature. *BUILDING AND ENVIRONMENT*, 169, Feb 2020

urban thermal storage does not have direct impact... とする代わりに、肯定文で同じ内容を表すことができます。

本モデルは自由パラメータを**有さず**、高さにも**依存していない**。

○ The model **has no** free parameters **and no** dependence on height.

Dissolution of a sloping solid surface by turbulent compositional convection. *JOURNAL OF FLUID MECHANICS*, 846, pp. 563-577, May 8 2018

does not have any... を避けて短く表すことができます。

【～はまだわかっていない】
研究の限界について述べる「まだ解明されていない」に

使用するremain unclearやunexploredも便利な表現です。remainの後ろに配置する形容詞は、ほかにもundefined, unknownなど様々な表現があります。第6章2節を参照してください。

> ✗　____ has(have) not become clear yet.
> ○　____ remain(s) unclear/unexplored.

例1

しかし、大都市における高温が人間の健康にどのような影響をおよぼすかの時空間的な進展については**依然としてわかっていない**。

○　However, the spatiotemporal evolution of how high temperatures affect human health in megacities **remains unclear**.

Spatiotemporal mechanism of urban heat island effects on human health-Evidence from Tianjin city of China. *FRONTIERS IN ECOLOGY AND EVOLUTION*, 10, Sep 23 2022

　has not become clear yetといった否定表現を避けて、remains unclearと肯定的に表現できます。

例2

しかし、氷河観光地における観光活動が氷河に与える影響は**解明できていない**。

○ However, the impact of tourism activities on glaciers at glacial tourism sites **remains unexplored**.

Impact of tourism activities on glacial changes based on the tourism heat footprint (THF) method. *JOURNAL OF CLEANER PRODUCTION*, 215, pp. 845-853, Apr 1 2019

　has not been elucidated yet といった否定表現や難解な動詞を避けて、remains unexplored と肯定的に表現できます。

4-3 複文の多用

【～の際には、～】

　日本語から直訳しようとすると、「～したら、～となる」や「～のとき、～である」のように、1つの文章の中に主語と動詞が2セット登場する複文構造になりがちですが、実際には、主語と動詞が1セットのみ登場する単文構造が最も読み取り易く、読み手に早く情報が届きます。

　「～するとき」や「～の際」に複文構造を使いたくなったときには、前置詞句を使うことで単文にできます。文頭に前置詞が出てしまいますが、複文構造よりも読み手の負担が少なくなるので許容できます。

△ When ___, ___.
○ For ___, ___.

例1

ローカルおよび地域スケールにおいて地表面エネルギー収支をモデル化する場合には、地上または無人航空機によるマルチスペクトルリモートセンシングを利用して、都市表面の水平および垂直の両方について高空間分解能のマルチスペクトル情報を取得することができる。

△ **When** surface energy balance (SEB) is modeled....

○ **For modeling surface energy balance (SEB) at local and neighborhood scales**, ground or unmanned aerial vehicle (UAV)-based multispectral remote sensing (RS) can be used to obtain high-spatial-resolution multispectral information for both horizontal and vertical urban surfaces.

Narrow-to-Broadband Conversion for Albedo Estimation on Urban Surfaces by UAV-Based Multispectral Camera. *REMOTE SENSING*, 12 (14), Jul 2020

「〜の場合に」に前置詞句を活用することで、複文構造を回避できます。

例2

特定の蒸着パラメータを設定した場合、等軸粒の割合は最底層で最も少なく、中間層で最も多く、最上層で減少することがわかった。

△ **When** a specific set of deposition parameters is used, the fraction of ....

○ **For a specific set of deposition parameters**, the fraction of equiaxed grains is least in the bottom layers, highest in the middle layers, and reduced in the top layer.

Microstructure engineering during directed energy deposition of Al-0.5Sc-0.5Si using heated build platform. *INTERNATIONAL JOURNAL OF HEAT AND MASS TRANSFER*, 202, Mar 2023

文頭の前置詞句For ___, で「条件」を表せます。

4-4 文中で変わる主語

【〜は、〜であるため、〜である】

1つの文の中で主語が変わり、視点が変わると、主語と動詞をもう一度読み直さないといけないので、読み手の負担が増えます。1つの文に2種類の異なる情報が含まれている場合には、前半と後半の主語を共通化して接続詞andで文をつないだり、to不定詞で文を続けたりすることで読み手の負担を減らすことができます。

> △ S + V, and S + V. ➡ ○ S + V, and V ___.
> △ S + V, and as a result, S + V. ➡ ○ S + V to V ___.

例1

ミネラルおよび灰分を多く含む廃棄物系バイオマスの熱分解は、動力学的に複雑であるため、詳細な調査を必要としている。

○ The pyrolysis of such MWB is kinetically complex **and requires** detailed investigation.

MWB = mineral- and ash-rich waste biomass

Biochar Synthesis from Mineral- and Ash-Rich Waste Biomass, Part 1: Investigation of Thermal Decomposition Mechanism during Slow Pyrolysis. *MATERIALS*, 15 (12), Jun 2022

The pyrolysis of such MWB is kinetically complex, and thus detailed investigation **is required**. のように前半と後半で主語が変わることを防げます。

例2

健忘型軽度認知障害（aMCI）は認知症の前駆段階であり、アルツハイマー病に進行するリスクが高いとされている。

○ Amnestic mild cognitive impairment (aMCI) represents a prodromal stage of dementia **and involves** a high risk of progression into AD.

AD = Alzheimer's disease

The Influence of MTHFR Polymorphism on Gray Matter Volume in Patients With Amnestic Mild Cognitive Impairment. *FRONTIERS IN NEUROSCIENCE*, 15, Nov 30 2021

Amnestic mild cognitive impairment (aMCI) represents a prodromal stage of dementia, **and there** is a high risk that aMCI progresses into AD. のように前半と後半で主語が変わることを防げます。

例3

モノのインターネット（IoT）の具体的な用途として、様々な医療機器やセンサー、医療従事者をつなぐことができ、その結果、遠隔地で質の高い医療サービスを提供できる。

✗ The Internet of Things (IoT) has shown potential application.... **As a result of this**, quality medical services **can be provided**....

○ To be more specific, **the Internet of Things (IoT) has shown** potential application in connecting various medical devices, sensors, and healthcare professionals **to provide** quality medical services in a remote location.

IoT-Based Applications in Healthcare Devices. *JOURNAL OF HEALTHCARE ENGINEERING*, Mar 2021

to不定詞を活用することで、2文目に異なる主語を配置せず、1文で表現することが可能です。

4-5 接続語の多用

　日本語は「そこで、」「そのため、」「そして、」といった
文どうしを接続するための言葉を多く使います。対する英
語は、既出の情報を主語にしたり、主語をそろえてandな
どの接続詞でつないだりすることで、文どうしを結束させる
言語であるため、文頭に配置するTherefore, Furthermore,
Moreover, Accordingly,といった接続語はあまり必要で
はありません。日本語に引きずられて使いがちなこれらの
接続語を一旦すべて取り除いた上で、情報の流れを良くす
るためにどうしても必要な接続語のみを挿入するとよいで
しょう。文の結束をどうすべきか、さらにはどのような接
続語を挿入すればよいかは、第9章で詳しく説明していま
す。

【そこで、～を行った／そのため、～である／
そして、～である】

✗　Therefore/Furthermore/Moreover/
　　Accordingly, ＿＿.

◯　＿＿.

例1

そこで本研究では、検証可能暗号（VE）を用いた認証ア
ルゴリズムと、その実装に基づくシングルサインオンのた
めの認証アルゴリズムを提案する。

✗ **Therefore, in this study**, we propose an authentication algorithm....

○ **In this study, we propose** an authentication algorithm for SSO based on a verifiable encryption (VE)-based authentication algorithm and implementation.

SSO = single sign-on

Security and Performance of Single Sign-on Based on One-Time Pad Algorithm. *CRYPTOGRAPHY*, 4 (2), Jun 2020

アブストラクトの冒頭より3文目です。研究の背景を述べたのち、研究内容へと移行する際にも、接続的な言葉Therefore,をあえて控えることで、読み手にスムーズに情報を提供することができます。

例2

電力資源の効果的な分配は電力網各社にとって重要な課題である。一方で、不適切なエネルギー分配によって、日常生活に影響が出ている現状がある。そのため、本研究では、電力網各社による空間的・時間的な電力資源の効果的な分配について検討する。さらに、電力使用量に基づき、地理的地域内の各戸の空間的・時間的消費指数を算出することによって、電力資源の効果的な分配が可能になる。

✗ Effective power resource allocation remains a primary issue for every power grid house. **On the other hand**, poor energy distribution has significantly influenced everyday living. **Therefore**, the current study focuses on.... **Furthermore**, the spatial-temporal consumption index is calculated....

○ **Although** effective power resource allocation remains a primary issue for every power grid house, poor energy distribution has significantly influenced everyday living. **The current study** focuses on the effective distribution of electricity resources by power grid houses over a spatial-temporal basis. **Specifically**, the spatial-temporal consumption index is calculated for each home in a geographical region based on electricity usage, which enables the effective allocation of power resources.

Game-Theoretic Decision Making for Intelligent Power Consumption Analysis. *IEEE Internet of Things Journal* 10 (9), pp. 7537-7544, May 1 2023

　日本語には「一方で」「そのため」「さらに」などと接続語が入りやすいですが、英語では最小限とします。文と文を従属接続詞althoughでつなぐ、主語から文を開始する、最小限の副詞を文頭に配置する、といった方法が有効です。

学生 学校の英語の授業でSV、SVC、SVO、SVOO、SVOCという5つの文型を学びましたが、ここまで学習した中で、SVOが多いことに気付きました。英語論文を書くときには難しい構文を使うと思っていたのですが、SVOOやSVOCは使わないのですか。

——論文で複雑な技術内容を表すには、簡単な文構造を選ぶのが得策です。はじめの3つ、SV、SVC、SVOを中心に使いましょう。英語は目的語に働きかける動作を表す「他動詞」の数が多いため、他動詞を使う文型であるSVOが最も多く使われることはこれまで見てきたとおりです。国際ジャーナルの表現から、SVOを再度確認しておきましょう。

【SVO】

High-power lithium-ion batteries **require** electrode materials that can store lithium quickly and reversibly.

高出力のリチウムイオン電池には、リチウムを高速かつ可逆的に蓄えることができる電極材料が必要である。

A Nonstoichiometric Niobium Oxide/Graphite Composite for Fast-Charge Lithium-Ion Batteries. *SMALL*, 18 (26), May 2022

学生 主語➡動詞➡目的語を前から順に並べて、「何かが何かをする」を表すのですね。「リチウムイオン電池」をまるで人のように見立てて、「電池が材料を必要としている」と表されているのが興味深い。

――次に、be動詞を使った文型SVCの用途は何でしょう。

【SVC】
Photocatalytic hydrogen (H$_2$) production from water **is a promising technology** toward sustainability.
光触媒を用いた水からの水素製造は、持続可能性の実現に向けた有望な技術である。

Bimetallic cocatalysts for photocatalytic hydrogen production from water. *CHEMICAL ENGINEERING JOURNAL*, 409, Apr 1 2021

学生 後半に「有望な技術」とあり、主語である「水素製造」という主題を定義している。こちらもアブストラクトでも便利に使えそうですね。SVCの用途はほかにもありますか。
――名詞を使って主語を定義する用途に加えて、主語の状態を形容詞を使って描写することができます。良い形容詞が選べたら、とてもわかりやすい文章が書けます。

Lithium-ion batteries **are ubiquitous** in modern society with a presence in storage systems, electric cars, portable electronics, and many more applications.
リチウムイオン電池は、蓄電システム、電気自動車、携帯電子機器など、現代社会において広く利用されている。

Li-ion battery degradation modes diagnosis via Convolutional Neural Networks. *JOURNAL OF ENERGY STORAGE*, 55, Nov 25 2022

学生 「広く普及している」を表す形容詞ubiquitous…。良い表現ですね。最後はSVですか。

——SVの特徴は、ひとりでに起こる動作を表す「自動詞」を使うことです。自動詞を使っていれば受動態にはなりませんので、単語数も減らせるわけです。動詞周りがスッキリすれば、さまざまな情報を足していくことも可能になります。

【SV】

Lithium-ion batteries **operate** predominantly at room temperature, but some applications such as electric vehicles also demand operation at higher temperature.

リチウムイオン電池は室温での動作が主流であるが、電気自動車などの用途では、より高温での動作も求められる。

A Comparative Study of Structural Changes during Long-Term Cycling of NCM-811 at Ambient and Elevated Temperatures. *JOURNAL OF THE ELECTROCHEMICAL SOCIETY*, 168 (5), May 1 2021

学生 なるほど。前半にSVが使われていますね。主語と動詞だけ Lithium-ion batteries operate.（リチウムイオン電池は動作する）と表すのではなく、predominantly（主に）と at room temperature（室温で）が使われ、さらには、接続詞butで次の文も足していますね。次の文の動詞はdemand（～を要求する）、これはSVOですね。「動詞」が文の構造を決めると考えればよいですか。

——そのとおりです。SVにはひとりでに起こる動作を表す自動詞、SVCにはbe動詞といった不完全自動詞、そしてSVOには他のものに動作を働きかける他動詞を使います。

学生 主語から文を開始し、動詞を直後に配置して、3つの構文を選べばよいとわかりました。思ったより簡単そうです。

最適なキーワードの配置

第5章 テンプレート❶
タイトル

論 文の内容を端的に言い表すタイトルを作成し、文献データベースの検索にかかりやすくするためには、適切なキーワードを決定し、読みやすく並べてつなぐことが重要です。第1章の1節では、そのようなタイトルを作成する方法の一例を説明しました。本章では、タイトルの作成方法をさらに詳しく紹介するとともに、タイトルのテンプレートを提案します。国際ジャーナルに掲載された英語論文のタイトルをお手本にします。

5-1 キーワードを前置詞でつなぐ

キーワードとなる名詞を抽出したら、名詞とほかの単語との関係を視覚的に表す品詞である前置詞を使ってつなぎます。例えば「高性能電池用のカーボンマイクロチューブ」であれば、Carbon microtubes used for high-performance batteriesのように動詞由来の分詞（used）を加えることを控え、Carbon microtubes for high-performance batteriesのように前置詞だけでつなぎます。次の前置詞を使う例を説明します。

for	〜のための
with	〜を有している、〜を使って* *代わりに using を使えます。
in	〜における
as	〜として
from	〜から
through	〜を通じて
via	〜を経て
to＋動詞の原形	〜するための

前置詞でキーワードをつなぐタイトルでは、第1章でも説明したとおり、7つの問いに答えて英単語を書き出すことが有効です。答えが見つからない問いは飛ばします。単語を書き出したら、単語どうしの修飾関係、つまり係り受けをわかりやすくするため、関連する単語を近づけて配置します。さらに、各キーワードの名詞の単数形や複数形といった数と冠詞を適切に整える必要があります。可算名詞の場合は複数形または単数形を選択します。不可算名詞の場合は、特定すべき特段の理由がない場合には無冠詞とします。

a 研究テーマは何ですか …… はじめに配置

b 用いた方法や材料、特徴は何ですか …… with/using

c 用途は何ですか …… for

d	何として使いますか	………	as
e	全体構造・使用場所・分野を教えてください	………	in
f	重要な動作や工程はありますか	………	from/through/via
g	目的は何ですか	………	to＋動詞の原形

　このほかにも、toward（〜に向けて）などもあります。次に示す複数のテンプレートから、表したい内容に合うものを選んで使用してください。

【前置詞with/usingで何を用いたかを表す】

［　**a**　］with/using［　**b**　］
（　**b**　）を有する／を用いた（　**a**　）

　前置詞withは「有する」または「使った・用いた」を表します。withが「有する」または「使った・用いた」のいずれを意味するかが明白な場合にはwithを使い、いずれの意味かが紛らわしい場合には、「用いた」にusing、「有する」にhavingなどの分詞を使います。

Transparent ferroelectric crystals **with** ultrahigh piezoelectricity
極めて高い圧電性を有する透明な強誘電体結晶

NATURE, 577 (7790), pp. 350-354, Jan 16 2020

Skin-inspired haptic memory arrays **with** an electrically reconfigurable architecture
電気的に再構成可能なアーキテクチャを備えた皮膚模倣型ハプティックメモリアレイ

ADVANCED MATERIALS, 28 (8), pp. 1559-1566, Feb 24 2016

Aircraft integrated structural health monitoring **using** lasers, piezoelectricity, and fiber optics
レーザー、圧電、光ファイバを用いた航空機統合構造ヘルスモニタリング

MEASUREMENT, 125, pp. 294-302, Sep 2018

【前置詞 for で用途を表す】

[**a**] for [**c**]
（ **c** ）のための／に利用する／を可能にする（ **a** ）

　研究テーマ（ **a** ）をはじめに配置し、方向を表す前置詞 for で用途や応用を表します。for はタイトルで使える前置詞の代表例です。（ **a** ）には物も動作も配置できます。

Force sensor integrated surgical forceps **for** minimally invasive robotic surgery
最小侵襲ロボット手術用の力センサー内蔵手術用鉗子

IEEE TRANSACTIONS ON ROBOTICS, 31 (5), pp. 1214-1224, Oct 2015

Ray-based cross-beam energy transfer modeling **for** broadband lasers
広帯域レーザーの光線ベースのクロスビームエネルギー伝達モデリング

PHYSICS OF PLASMAS, 30 (4), Apr 2023

【前置詞inで分野を表す】

[**a**] in [**e**]
(**e**) における (**a**)

　前置詞inは、分野や構造物、場所の中に位置していることを表します。

Artificial intelligence and machine learning **in** emergency medicine
救急医療における人工知能と機械学習

EMERGENCY MEDICINE AUSTRALASIA, 30 (6), pp. 870-874, Dec 2018

Quantifying inactive lithium **in** lithium metal batteries
リチウム金属電池における不活性リチウムの定量化

NATURE, 572 (7770) , pp. 511-515, Aug 22 2019

Coverage and Equity of Childhood Vaccines **in** China
中国における小児ワクチンの接種率と公平性

JAMA NETWORK OPEN, 5 (12), Dec 1 2022

【with/using, for を組み合わせる】

[**a**] with/using [**c**] for [**b**]
（ **b** ）のための／に利用する／を可能にする（ **c** ）を有する／を用いた（ **a** ）

Force sensing **with** 1 mm fiber bragg gratings **for** flexible endoscopic surgical robots
柔軟な内視鏡手術ロボット用の1mmファイバーブラッググレーティングを使った力検出

IEEE/ASME TRANSACTIONS ON MECHATRONICS, 25 (1), pp. 371-382, Feb 2020

Porous materials **with** optimal adsorption thermodynamics and kinetics **for** CO_2 separation
CO_2分離のための最適な吸着熱力学特性と動力学特性を有する多孔質材料

NATURE, 495 (7439), pp. 80-84, Mar 7 2013

Mechanically Robust Ultrathin Solid Electrolyte Membranes **Using** a Porous Net Template **for** All-Solid-State Batteries
全固体電池のための多孔質ネットテンプレートを用いた機械的に頑強な極薄固体電解質膜

ACS APPLIED MATERIALS & INTERFACES, 15 (23), pp. 28064-28072, May 23 2023

[**a**] for [**b**] with/using [**c**]
（ **c** ）を有する／を用いた（ **b** ）のための／に利用する／
を可能にする（ **a** ）

Interconnected carbon nanosheets derived from hemp **for** ultrafast supercapacitors **with** high energy
高エネルギーを有する超高速スーパーキャパシタのための麻由来の相互接続カーボンナノシート

ACS NANO, 7 (6) ,pp. 5131-5141, Jun 2013

Efficient forest fire occurrence prediction **for** developing countries **using** two weather parameters
2種の気象パラメータを用いた途上国での効率的な森林火災発生予測

ENGINEERING APPLICATIONS OF ARTIFICIAL INTELLIGENCE, 24 (5), pp. 888-894, Aug 2011

【前置詞asで「～として」を表す】

[**a**] as [**b**] for [**c**]
[**a**] as [**b**] toward [**c**]
（ **c** ）のための／に利用する／を可能にする（ **b** ）としての／として働く（ **a** ）

　前置詞asは「～として働く」を意味します。方向性を表すforやtowardを組み合わせることができます。toward（～に向けた）は「直前に」を意味し、forよりも強い方向性を表します。

Facile Synthesis of Nickel-iron/Nanocarbon Hybrids **as** Advanced Electrocatalysts **for** Efficient Water Splitting

高効率水分解用の先進的電極触媒としてのニッケル鉄合金・ナノカーボン混成物の簡単な合成方法

ACS CATALYSIS, 6 (2), pp. 580-588, Feb 2016

Corn straw-derived porous carbon **as** negative-electrode materials **for** lithium-ion batteries

リチウムイオン電池負極材料としてのトウモロコシ藁由来多孔質炭素

INTERNATIONAL JOURNAL OF ELECTROCHEMICAL SCIENCE, 17 (10), Oct 2022

Oxide Nanofibers **as** Catalysts **Toward** Energy Conversion and Environmental Protection

エネルギー変換と環境保護を可能にする触媒としての酸化物ナノファイバー

CHEMICAL RESEARCH IN CHINESE UNIVERSITIES, 37 (3), pp. 366-378, Jun 2021

【前置詞 from, through, via で「〜による」を表す】

[**a**] from [**f**]
[**a**] through [**f**]
[**a**] via [**f**]
(**f**) による (**a**)

　fromは起点を表し、「〜から生成される」や「〜に由来する」といった文脈で広く使用可能です。throughは「〜

を通じた」を表します。viaも意味が似ていますが、throughは動きを表す一方、viaは「〜を経由して」を表します。「〜により」に前置詞byを使いたくなるかもしれませんが、byは文法的に誤ってしまうことや読み取りづらくなることが多くありますので、例えばenhanced byなどと動詞を一緒に使うことがおすすめです。

Green hydrogen **from** anion exchange membrane water electrolysis
陰イオン交換膜水電解によるグリーン水素

CURRENT OPINION IN ELECTROCHEMISTRY, 36, Dec 2022

Hazard Mitigation of a Landslide-Prone Area **through** Monitoring, Modeling, and Susceptibility Mapping
モニタリング、モデリング、脆弱性マッピングによる土砂災害多発地帯の危険緩和

WATER, 15 (6), Mar 2023

Additive manufacturing of fine-grained high-strength titanium alloy **via** multi-eutectoid elements alloying
複数成分共晶合金による高強度微粒チタン合金の積層造形

COMPOSITES PART B : ENGINEERING, 249, Jan 15 2023

【前置詞to＋動詞で目的を表す】

［ **a** ］ to ［ **g：動詞** ］
（ **g** ）のための／に利用する／を可能にする（ **a** ）

「～する目的で」を意味するto不定詞を使うことができます。用途として動作を配置したい場合に有効です。

Scalable Knowledge Management **to** Meet Global 21st Century Challenges in Agriculture
農業における21世紀の世界的課題に対応する拡張可能な知識管理

LAND, 12 (3), Mar 2023

Incorporating Social Vulnerability Variables in Measures **to** Quantify Access to Opportunities
機会の利用可能性を定量化するための尺度への社会的脆弱性変数の利用

TRANSPORTATION RESEARCH RECORD, doi：10.1177/03611981231168861, May 2023（早期公開）

Tips for Readers
スタイルガイドのすすめ

学生 タイトルの決まりごとはジャーナルごとに違うと聞きます。どうすればよいですか。
──投稿する国際ジャーナルの投稿規定を確認しましょう。タイトルは何ワードまで、などと記載があります。
学生 投稿するジャーナルが決まっていない場合には、どうすればよいですか。
──欧米諸国には「スタイルガイド」という書き物の指針があります。一例として、アメリカ化学会の「ACSスタイルガイド」に記載されているタイトルの指針を読んでみましょう。

The best time to determine the title is after the text is written, so that the title will reflect the paper's content and emphasis accurately and clearly.
論文の内容と要点を的確かつ明確に表せるよう、本文の執筆後にタイトルを決定するのがよい。

The title must be brief and grammatically correct but accurate and complete enough to stand alone.
簡潔で文法的に正しく、的確かつ単独で完結したタイトルにする。

A two- or three-word title may be too vague, but a 14- or 15-word title is unnecessarily long. If the title is too long, consider breaking it into title and subtitle.
2語や3語からなるタイトルでは不明瞭だが、14語や15語だと無用に長い。長くなる場合は、タイトルとサブタイトルに分けることを検討する。

The title serves two main purposes: to attract the potential audience and to aid retrieval and indexing. Therefore, include several keywords.
タイトルの主な役割は読者の関心を惹きつけ、検索にかかりやすくすることである。そのため、複数のキーワードを含める。

Avoid phrases such as "on the", "a study of ", "research on", "report on", "regarding", and "use of ". In most cases, omit "the" at the beginning of the title.
「on the」、「a study of」、「research on」、「report on」、「regarding」、「use of 」といった語句を避ける。冒頭の

theは省略するのが通例。

Spell out all terms in the title, and avoid jargon, symbols, formulas, and abbreviations.

タイトルの用語はすべてフルスペルとし、業界用語、記号、式、略語の使用を避ける。

The ACS Style Guide: Effective Communication of Scientific Information 3rd Edition, Anne M. Coghill, Lorrin R. Garson, ed. s. *JOURNAL OF CHEMICAL EDUCATION*,83(11),2006

学生　詳しい指針で、注意すべき点がクリアになりました。

5-2　動名詞と動詞の名詞形

　タイトルでは名詞を列挙するので、名詞とほかの単語との関係を表す品詞である前置詞を使う方法を説明しました。一方、例えば「体験の創造」という場合に、Creation of experienceのような動詞の名詞形creationの代わりに動名詞を使うと、Creating experience（体験を創造すること）のように前置詞を使わずに表現できます。タイトルの書き出しに動名詞を使うことで、短く平易に、かつ係り受けが不明確になるのを避けて表現できます。

[a：動詞 ing] [b]
(b) を (a) すること

Creating e-shopping multisensory flow experience through augmented-reality interactive technology
拡張現実型インタラクティブ技術による電子ショッピングの多感覚フロー体験の創造

INTERNET RESEARCH, 27 (2) ,pp. 449-475, 2017

Identifying inter-seasonal drought characteristics using binary outcome panel data models
二値結果パネルデータモデルを用いた季節間の干ばつ特性の特定

GEOCARTO INTERNATIONAL, 38 (1), Dec 31 2023

Imaging brain metabolism in a mouse model of Huntington's disease
ハンチントン病モデルマウスにおける脳代謝の画像化

PROTEIN SCIENCE, 30, (S1), pp. 27, Oct 2021

[**a**] of [**b**]
（ **b** ）の（ **a** ）

前置詞ofは属性を表します。動詞の名詞形を（ **a** ）に配置し、（ **b** ）に対する動作や現象として表します。特に動詞の名詞形（ **a** ）に形容詞やほかの名詞で修飾を加えるような文脈で有効です。

Selective conversion of syngas to light olefins
合成ガスの軽オレフィンへの選択的変換

SCIENCE, 351 (6277) , pp. 1065-1068, Mar 4 2016

Multiscale topology optimization of biodegradable metal matrix composite structures for additive manufacturing

積層造形のための生分解性金属基複合材構造のマルチスケールトポロジーの最適化

APPLIED MATHEMATICAL MODELLING, 114, pp. 799-822, Feb 2023

Tips for Readers
———————
タイトルに冠詞を使うかどうか

学生 タイトルの冠詞は省いてしまってよいですか。
——タイトルの冠詞には諸説あり、英語ネイティブ話者に尋ねると、「重要ではない場合や、なくてもわかる場合には省略してもよい」といった答えが返ってくることがあります。しかし、非ネイティブにとって、冠詞のどれを省略して、どれを残すかの判断は難しいため、省略せずに文法通りに冠詞を使うことをおすすめします。
学生 英語非ネイティブはネイティブよりもさらに正確に、ということでしょうか。
——次の2つを根拠にできます。
ACSスタイルガイドに、The title must be brief and grammatically correct....（タイトルは簡潔で文法的に正しくすべき）とあります。そして、同スタイルガイドを読み進めていくと、In most cases, omit "the" at the beginning of the title.（タイトル冒頭のthe は省くのが通例）ともあります。ここから、冒頭のthe 以外は省かず、文法的に正しく書くと理解できます。さらに、国際ジャーナルに掲載されている論文のタイトルを見ると、文法的に

必要な冠詞を省略したタイトルよりも、省略していないタイトルがはるかに多く、冠詞がないように見えるタイトルであっても、実際には冠詞を単に省略しているのではなく、例えば複数形を使うなどして、冠詞が不要な表現を選択している例が多く見られます。次の一例では冠詞theやaが使われていませんが、省略しているのではなく、名詞の複数形（gestures, smartphones）と不可算名詞（authentication）を使い、冠詞が不要になっています。

Swipe gestures for user authentication in smartphones
スマートフォンにおけるユーザー認証のためのスワイプジェスチャー

JOURNAL OF INFORMATION SECURITY AND APPLICATIONS, 74, May 2023

学生 なるほど。視覚的にも読み取りやすく、わかりやすいタイトルです。では、必要に応じて冠詞を使ってもよいのでしょうか。
——必要箇所に冠詞を使ったタイトルが次のように見られます。通常の文法どおりに the を使っています。冒頭の不定冠詞 A も見られます。

【必要箇所に the】
Unravelling **the** origin of multiple cracking in an additively manufactured Haynes 230
付加製造による Haynes 230 合金の複数ひび割れの原因を探る

MATERIALS RESEARCH LETTERS, 11 (4), pp. 281-288, Apr 3 2023

「割れの原因」を表すoriginは定まるため定冠詞theが必要。

【不定冠詞A】

A framework for artificial intelligence in cancer research and precision oncology
がんの研究および精緻治療における人工知能のフレームワーク

NPJ PRECISION ONCOLOGY, 7 (1), May 17 2023

frameworkは可算名詞のため、冠詞aを入れます。

また、ACSスタイルガイドにも推奨されるように、冒頭のtheを省略したタイトルも確認できます。

Crystal structure of Synechococcus phycocyanin: implications of light-harvesting and antioxidant properties
シネココッカス属フィコシアニンの結晶構造：光捕集性と抗酸化性に関する示唆

3 BIOTECH, 13 (7), Jul 2023

――「フィコシアニン」は色素タンパク質の一種で、結晶構造を有することがわかっているため本来はtheが必要ですが、theを省略しています。

学生　名詞の形に着目してタイトルを読むのは面白いですね。

5-3 分詞でつなぐ

　名詞を修飾するほかの方法として、現在分詞と過去分詞の使用があります。現在分詞は能動の意味で、過去分詞は受動の意味で修飾します。

【現在分詞】

[**a**]［**b：動詞ing**］［ **c**]
（ **c** ）を（ **b** ）する（ **a** ）

A soft and transparent visuo-haptic interface **pursuing** wearable devices
ウェアラブルデバイスのためのソフトで透明な視触覚インターフェース

IEEE TRANSACTIONS ON INDUSTRIAL ELECTRONICS, 67 (1) , pp. 717-724, Jan 2020

【過去分詞】

[**a**]［**b：動詞ed**］by ［ **c**]（〜によって）
[**a**]［**b：動詞ed**］from ［ **c**]（〜から）
（ **c** ）によって／から（ **b** ）される（ **a** ）

Temperature sensitivity of soil respiration rates **enhanced by** microbial community response
微生物群集の反応により高まる土壌呼吸速度の温度感受性

NATURE, 513 (7516) , pp. 81-84, Sep 4 2014

Hierarchical porous nitrogen-doped carbon nanosheets **derived from** silk for ultrahigh-capacity battery anodes and supercapacitors

超高容量電池の負極およびスーパーキャパシタのためのシルク由来の階層的多孔性窒素ドープカーボンナノシート

ACS NANO, 9 (3), pp.2556-2564, Mar 2015

Tips for Readers

タイトルの大文字・小文字

学生 タイトルでよく大文字・小文字が混在していますが、どのように使いますか。

――①タイトルの一番はじめの文字だけを大文字にする、②各単語の頭文字を大文字にする、③すべて大文字にする、の3つのパターンがあります。ジャーナルによっていずれが使用されるかは異なっており、本書で引用したタイトルは、国際ジャーナルに掲載された大文字・小文字の表記を保持しています。3つのパターンとは、例えば、「電気的に再構成可能な構造を備えた皮膚刺激型ハプティックメモリアレイ」であれば、①と③は、①Skin-inspired haptic memory arrays with an electrically reconfigurable architecture と ③SKIN-INSPIRED HAPTIC MEMORY ARRAYS WITH AN ELECTRICALLY RECONFIGURABLE ARCHITECTUREです。②の場合はどのように表記できるでしょう。

学生 各単語の頭文字を大文字にして、Skin-inspired

Haptic Memory Arrays With An Electrically Reconfigurable Architecture ですか。

——重要語だけを大文字にします。つまり、情報の実体がない前置詞と冠詞、またand といった接続詞などは小文字のままとします。また、Skin-Inspired のようにハイフンでつながれた単語の場合には、2つ目の単語も大文字にするのが通例です（参照：The ACS Style Guide, AMA Manual of Style: A Guide for Authors and Editors）。

タイトルは、コンパクトに表現するためにハイフンで2つの単語をつないで構成することが多くありますので、知っておくと便利です。以下は、国際ジャーナルで見られる、ハイフンでつないだ2つの単語を含むタイトルの一例です。

A Deep Learning-Enabled Skin-Inspired Pressure Sensor for Complicated Recognition Tasks with Ultralong Life（*RESEARCH*, 6, Jun 7 2023）（複雑な認識タスクのための超寿命なディープラーニングを活用した皮膚触覚圧力センサー）

学生　なるほど。すると、先の例では次が正解ですね。
Skin-Inspired Haptic Memory Arrays with an Electrically Reconfigurable Architecture
（*ADVANCED MATERIALS*, 28 (8), pp. 1559-1566, Feb 24 2016）

——上手に書けました。一貫性をもって、大文字・小文字を使いましょう。

サブタイトルの付けかた

　簡潔に表現したうえで、それでもタイトルが長くなってしまう場合や、伝えたい2つのメッセージがある場合には、メインタイトルに加えて、サブタイトルを使います。サブタイトルは、コロンで導入します。コロンに続くサブタイトルも大文字から開始します。

[**a**]: [**b**]
（ **a** ）メインタイトルと（ **b** ）サブタイトル

Electrode materials for rechargeable sodium-ion batteries: **Potential alternatives** to current lithium-ion batteries
ナトリウムイオン二次電池用電極材料：現行のリチウムイオン電池への代替として

ADVANCED ENERGY MATERIALS, 2 (7), pp. 710-721, Jul 2012

Digital sensory marketing: **Integrating** new technologies into multisensory online experience
デジタル感覚マーケティング：新技術を取り入れた多感覚のオンライン体験

JOURNAL OF INTERACTIVE MARKETING, 45, pp. 42-61, Feb 2019

タイトル

Tips for Readers

文章のタイトルや疑問文のタイトルを使うべきか

学生 名詞を羅列するタイトルについて学びました。タイトルは文章ではいけませんか。

── 「〜が〜する」というように、文章で書かれたタイトルを見ることもあります。例を見てみましょう。

Artificial intelligence **facilitates** drug design in the big data era

人工知能がビッグデータ時代の創薬設計を促進する

CHEMOMETRICS AND INTELLIGENT LABORATORY SYSTEMS, 194, Nov 15 2019

Urgent action **is needed to restore** the water sector in Ukraine

ウクライナの水セクターの回復には緊急行動が必要

NATURE SUSTAINABILITY, 6 (5), pp. 491-492, May 2023

学生 動詞を探すのに少し苦戦してしまいました。

── 数ある論文の中から見つけてもらうために、完全文で書くことでメッセージ性を強めているのでしょうが、動詞があることで、読み手の負担が増えてしまう可能性があります。私たち英語非ネイティブは、名詞で構成する標準的なタイトルを保持するのが無難でしょう。これまで提案した雛形に当てはめ、前置詞や分詞で名詞をつないで、例えば次のような表現が可能です。

Artificial intelligence **for** drug design in the big data era（前置詞）

Urgent action **needed to** restore the water sector in

Ukraine（過去分詞）

学生　なるほど、非ネイティブは基本に忠実に行うのが無難ということがわかりました。次に、疑問文のタイトルはどうですか。読み手を惹きつけるために活用すべきでしょうか。
──確かに最新技術などでキャッチーな疑問文のタイトルも目にします。artificial intelligence（人工知能）で検索してみると、疑問文を使ったタイトルがすぐに見つかりました。

Which Exceptions Do We Have to Catch in the Python Code for AI Projects?
AI プロジェクトのパイソンコードでどのような例外を特定すべきか

INTERNATIONAL JOURNAL OF SOFTWARE ENGINEERING AND KNOWLEDGE ENGINEERING, 33 (03), pp. 375-394, Mar 2023

Novel innovation: Can artificial intelligence make rehabilitation more efficient?
斬新なイノベーション：人工知能はリハビリを効率化できるか

LAEKNABLADID, 105 (6), pp. 277-282, 2019

学生　面白いですね。チャレンジすべきですか。
──名詞を並べた正統派のタイトルのほうが圧倒的に数が多いので、まずはそちらを真似るほうがよいでしょう。非ネイティブがキャッチーなタイトルにチャレンジする必要はないと考えています。

円滑な背景紹介

第6章

テンプレート❷
アブストラクト：
研究の背景

6-1 主題の紹介

　論文の要点を記載するアブストラクトでは、研究の問題と目的を簡潔に述べ、理論計画または実験計画を明示し、主な成果をまとめて主要な結論を示します。研究に至った背景と研究によって解決しようとする問題を説明する導入部分は、論文本文の序論（Introduction）に相応します。本章より、第1章の2節で紹介した「基本のテンプレート」に沿って、各表現の使い方を説明するとともに、国際ジャーナルから抜粋した表現を例示します。主に無生物の主語を使った簡潔な表現で研究の主題を紹介します。アブストラクトに含めたい内容に応じて、自由に選択して使用してください。

1. 本稿は（ **a** ）に関するものである。

This paper presents/describes/proposes/
demonstrates/analyzes/investigates/focuses on [**a**].

2.（ **a** ）するためには、（ **b** ）が重要／必要である。

[**a**] require(s)/necessitate(s)/use(s)/involve(s)
[**b**].

[**b**] is(are) crucial/indispensable in/for [**a**].

[**b**] is(are) an indispensable/integral tool for/part
of [**a**].

3.（ **a** ）は、（ **b** ）に依存している。

[**a**] rely(ies) on/depend(s) on [**b**].

4.（ **b** ）によって、（ **a** ）の必要性／重要性が高まっている。

[**b**] has (have) increased the need/significance of/
for/to [**a**].

5. 近年、（ **b** ）のために、（ **a** ）に注目が集まっている。

[**a**] has(have) attracted/gained attention due to
[**b**].

6.（ **b** ）のための（ **a** ）が開発されてきた。

[**a**] has(have) been developed to/for [**b**].

7.（ **a** ）は、（ **b** ）となってきた（具体的な内容）。

[**a**] has(have) shown/caused/別動詞 [**b**].

---

1. 本稿は（　a　）に関するものである。

This paper presents/describes/proposes/ demonstrates/analyzes/investigates/focuses on [　**a**　].

　論文＝This paperを主語にして研究の主題を明示します。動詞present（提示する）、describe（説明する）は、内容を問わず万能に使えます。主題が新規であることを強調したいpropose（提案する）、今回の論文が主題を実証することを示したいdemonstrate（実証する）も比較的万能に使えます。ほかにも、analyze（分析する）、investigate（調査する）のように内容に応じて自在に動詞を変更できます。「焦点を当てる」を表すfocus onも便利に使えます。

　（　a　）に研究の主題となる名詞を配置し、名詞に後ろから修飾を加えて主題を定義します。主題の定義には、関係代名詞の限定用法であるthatや前置詞ofやforによる修飾などが可能です。

　主語は、This paper（本稿）に加えて、studyやwork（いずれも研究）、report（報告）なども使えます。

This paper presents a framework that can transform reconfigurable structures into systems with continuous equilibrium.
本稿では、再構成可能な構造を連続的平衡を有するシステムに変換できる機構を提示する。

Designing continuous equilibrium structures that counteract gravity in any orientation. *SCIENTIFIC REPORTS*, 13 (1), May 17 2023

This work presents a fall detection system based on artificial intelligence.

本研究では、人工知能に基づく転倒検知システムを提示する。

Improve the Accuracy of Fall Detection Based on Artificial Intelligence Algorithm. *COMPUTER MODELING IN ENGINEERING & SCIENCES*, 128 (3), pp. 1103-1119, 2021

This report describes the first human study of a novel amyloid-imaging positron emission tomography (PET) tracer, termed Pittsburgh Compound-B (PIB), in 16 patients with diagnosed mild AD and 9 controls.

アミロイドの画像化のための新規PETトレーサーであるピッツバーグ化合物Bを、軽度アルツハイマー病と診断された患者16名と対照群9名を対象としてはじめてヒトに使用した研究について報告する。

Imaging brain amyloid in Alzheimer's disease with Pittsburgh Compound-B. *ANNALS OF NEUROLOGY*, 55 (3), pp. 306-319, Mar 2004

This paper proposes a new method for real-time terrain recognition-based navigation for mobile robots.

本稿では、移動ロボットのリアルタイム地形認識によるナビゲーションを可能にする新しい手法を提案する。

Tapered whisker reservoir computing for real-time terrain identification-based navigation. *SCIENTIFIC REPORTS*, 13 (1), Mar 30 2023

This study demonstrates the applicability of additively manufactured components that are metalized with conductive tape for two different microwave experiments.

本研究では、導電性テープで金属化された付加製造部品が、2種のマイクロ波実験に適用可能であることを実証した。

Cost-effective experiments with additively manufactured waveguide and cavities in the S-band. *MEASUREMENT SCIENCE AND TECHNOLOGY*, 34 (8), Aug 1 2023

This paper analyzes the impact of energy consumption on the three pillars of sustainable development in 74 countries.

本稿では、74ヵ国を対象とした、持続可能な開発の3本柱に与えるエネルギー消費の影響についての分析を報告する。

The Impact of Energy Consumption on the Three Pillars of Sustainable Development. *ENERGIES*, 14 (5), 2021

This study investigates a multi-objective mixed-integer programming model for daily OR scheduling of inpatient surgeries.

OR = operating room

本研究では、入院患者手術の毎日の手術室スケジューリングのための多目的混合整数計画モデルについて調査する。

Operating room scheduling by emphasising human factors and dynamic decision-making styles: a constraint programming method. *INTERNATIONAL JOURNAL OF SYSTEMS SCIENCE-OPERATIONS & LOGISTICS*, 10 (1), Dec 31 2023

This study focuses on the issue of uncontrollable debris generated by laser-matter interactions in high-power laser facilities, which significantly impairs operational efficiency.

本研究は、高出力レーザー施設において、レーザーと物質の相互作用によって発生する制御不能なデブリが運用効率を著しく損なうという問題に焦点を当てている。

Fate of ejected debris from the explosion of the rear surface of fused silica in the high-power laser facility. *INTERNATIONAL JOURNAL OF OPTOMECHATRONICS*, 17 (1), Dec 31 2023

2.（ a ）するためには、（ b ）が重要／必要である。
［ a ］ require(s)/necessitate(s)/use(s)/involve(s)
［ b ］.

　研究の主題や分野を主語として（ a ）に配置し、require、necessitate で「〜を必要とする」、use で「〜を使用している」、involve で「〜を一部として含む」を表し、それらの目的語を（ b ）に記載します。または、（ a ）と（ b ）を入れかえて、（ b ）を主語に配置し、be 動詞と crucial, indispensable といった形容詞を使って同様の内容を表すことが可能です。両方のパターンにおいて、（ a ）には具体的な名詞以外に概念や動作を配置することができます。後者の場合、前置詞 in（〜において）と for（〜にとって）の後ろには、名詞または動名詞（動作）を置きます。さらに、an indispensable tool for（〜のための重要な手法）や an indispensable part of（〜の不可欠な部分）といった表現も可能です。

The rapidly ageing population **requires** food products that meet their specific physiological needs and have pleasurable sensory characteristics.
高齢化が進む中、高齢者の身体的要求に適し、かつ満足感が得られる食品が求められている。

Can tribology be a tool to help tailor food for elderly population?. *CURRENT OPINION IN FOOD SCIENCE*, 49, Feb 2023

The increasing need for portable and large-scale energy storage systems **requires** development of new, long lasting and highly efficient battery systems.
携帯型や大規模なエネルギー貯蔵システムのニーズが高まる中、長寿命で高効率な新しい電池システムの開発が求められている。

Dynamic Nuclear Polarization in battery materials. *SOLID STATE NUCLEAR MAGNETIC RESONANCE*, 117, Feb 2022

Coordinating complex communication among hyperdense autonomous agents **requires** new artificial intelligence (AI)-enabled orchestration of wireless communication services beyond 5G and 6G mobile networks.
超高密度自律エージェント間の複雑な通信の調整には、5Gや6Gモバイルネットワークを超える、新しい人工知能を利用した無線通信サービスのオーケストレーションが必要である。

Trustworthy Deep Learning in 6G-Enabled Mass Autonomy: From Concept to Quality-of-Trust Key Performance Indicators. *IEEE VEHICULAR TECHNOLOGY MAGAZINE*, 15 (4), pp. 112-121, Dec 2020

Modeling solar systems **necessitates** the effective identification of unknown and variable photovoltaic parameters.

太陽光発電システムのモデル化において、未知の可変太陽光発電パラメータを効果的に同定することが重要である。

Multi-Strategy Learning Boosted Colony Predation Algorithm for Photovoltaic Model Parameter Identification. *SENSORS*, 22 (21), Nov 2022

The inherent narrow operating temperature range (e.g., from 25 °C to 40 °C) **necessitates** a dedicated thermal management system for desired and designed LIB performance.

リチウムイオン電池は、25℃から40℃の狭い温度範囲で使用されるため、性能を維持するためには専用の熱管理システムが必要である。

Thermofluidic analysis and optimization of installation spacing in a multiserpentine channeled cold plate for the liquid cooling of pouch-type battery cells. *NUMERICAL HEAT TRANSFER: PART A: APPLICATIONS*, doi:10.1080/10407782.2022.2163941, Mar 2023

Additive manufacturing processes such as 3D printing **use** time-consuming, stepwise layer-by-layer approaches to object fabrication.

3Dプリントといった付加製造プロセスにおいては、段階的に一層ずつ作製するという時間のかかる方法で物を作製している。

Continuous liquid interface production of 3D objects. *SCIENCE*, 347 (6228), pp. 1349-1352, Mar 20 2015

A typical optical based gait analysis laboratory **uses** expensive stereophotogrammetric motion capture systems.
一般的な光学ベースの歩行解析研究所では、高価なステレオ写真測量モーションキャプチャーシステムを使用している。

Affordable gait analysis using augmented reality markers. *PLOS ONE,* 14 (2), Feb 14 2019

The measurement of the strain level during the pre-stress application usually **involves** laborious and time-consuming applications of instrumentation.
プレストレス印加時の歪みレベルの測定には、通常、労力と時間を要する計測機器の使用が必要である。

Benchmarking for Strain Evaluation in CFRP Laminates Using Computer Vision: Machine Learning versus Deep Learning. *MATERIALS,* 15 (18), Sep 2022

〔 **b** 〕is(are) crucial/indispensable in/for 〔 **a** 〕.
〔 **b** 〕is(are) an indispensable/integral tool for/part of〔 **a** 〕.

Catalysts for oxygen reduction reaction (ORR) **are crucial in** fuel cells.
酸化還元反応のための触媒は、燃料電池において重要な役割を果たしている。

Nitrogen-doped nanoporous carbon nanosheets derived from plant biomass: an efficient catalyst for oxygen reduction reaction. *ENERGY & ENVIRONMENTAL SCIENCE,* 7 (12), pp. 4095-4103, 2014

Understanding the biomechanical behavior of 3D printed porous scaffolds under physiologically relevant loading and environmental conditions **is crucial in** accurately predicting the in vivo performance.

3Dプリンタで作製した多孔質足場について、生理学的に適切な負荷や環境条件下での生体力学的挙動を理解することは、生体内での性能を正確に予測するにあたって極めて重要である。

Biomechanical behavior of PMMA 3D printed biomimetic scaffolds: Effects of physiologically relevant environment. *JOURNAL OF THE MECHANICAL BEHAVIOR OF BIOMEDICAL MATERIALS*, 138, Feb 2023

Understanding these impacts **is crucial for** promoting comprehensive cooperation in managing and utilizing water resources within the basin.

これらの影響を理解することは、流域内の水資源の管理や利用のための総合的な協力を促進するために極めて重要である。

Impacts of Water Resources Management on Land Water Storage in the Lower Lancang River Basin: Insights from Multi-Mission Earth Observations. *REMOTE SENSING*, 15 (7), Apr 2023

High-output lithium-ion batteries that have excellent high-rate capacity and durability **are indispensable for** high-energy devices.

高エネルギー機器には、高容量で耐久性に優れた高出力リチウムイオン電池が不可欠である。

Individual Effects of Flux Species as a Reaction Field on Coprecipitation Precursor toward the Design of

Fine, Mono- Dispersed LiNi$_{0.5}$Co$_{0.2}$Mn$_{0.3}$O$_2$ Single
Crystals. *ACS APPLIED ENERGY MATERIALS*, 6 (1),
pp. 245-256, Jan 9 2023

Ultrafast real-time optical imaging **is an indispensable tool for** studying dynamical events such as shock waves, chemical dynamics in living cells, neural activity, laser surgery and microfluidics.
超高速の光を利用したリアルタイムイメージング光学撮像は、動的事象である衝撃波、生体細胞内化学力学、神経活動、レーザー手術、マイクロ流体力学などを調べるのに重要な手法である。

Serial time-encoded amplified imaging for real-time
observation of fast dynamic phenomena. *NATURE*,
458 (7242), pp. 1145-1149, Apr 30 2009

Petrochemicals **are an indispensable part of** our everyday life, necessitating large-scale production facilities.
石油化学製品は生活に欠かせないものであるが、大規模な生産設備が必要である。

Redefining of potential dust explosion risk parameters for
additives in the petrochemical manufacturing process.
PROCESS SAFETY AND ENVIRONMENTAL PROTECTION,
169, pp. 472-480, Jan 2023

Oxidation **is an integral part of** aerobic processes of life.
酸化は、生命の好気性プロセスにおいて不可欠である。

Antioxidant, phytochemical, and therapeutic properties of
medicinal plants: a review. *INTERNATIONAL JOURNAL OF
FOOD PROPERTIES*, 26 (1), pp. 359-388, Dec 31 2023

研究の背景

3. （ **a** ）は、（ **b** ）に依存している。
[**a**] rely(ies) on/depend(s) on [**b**].

　SVで「〜に依存している」を表します。長い主語を配置したい場合や、「〜を必要としている」「〜は重要である」の対象が「既存のもの」、つまり「現状は〜に依存している」という状況での使用が便利です。rely onとdepend onは同義で使えますが、rely onが「〜を必須としている」、depend onが「〜に応じて変わる」というニュアンスの違いがあります。

Ensuring long-term safe and efficient operation of industrial processes **relies on** real-time identification of abnormal operating conditions.
産業プロセスの長期的な安全性と効率性を確保するためには、異常な運転状態をリアルタイムに把握することが重要となる。

Abnormal Operating Condition Identification of Industrial Processes Based on Deep Learning With Global-Local Slow Feature Analysis. *IEEE TRANSACTIONS ON INSTRUMENTATION AND MEASUREMENT*, 72, 2023

The quality of the 3D printed component **depends on** the temperature profile between the layers of the printed components and the process parameters.
3Dプリントで作製した部品の品質は、プリントされた部品の層間の温度プロファイルとプロセスパラメータに依存する。

Experimental Study and Predictive Modelling of Fused Deposition Modelling (FDM) Using TOPSIS and Fuzzy Logic Expert System. *INTERNATIONAL JOURNAL OF AUTOMOTIVE AND MECHANICAL ENGINEERING*, 20 (1), pp. 10175-10191, Mar 2023

4.（ **b** ）によって、（ **a** ）の必要性／重要性が高まっている。
［ **b** ］has(have) increased the need/significance of/for/to ［ **a** ］.

無生物主語と他動詞を使った表現です。時制は現在完了形を使うのが通例です。主語に定冠詞theを使うと「〜したことにより」を表せます。定冠詞theの有無について両方の例をあげます。the needは必要性、the significanceは重要性を表します。続く前置詞ofやforの後ろには、名詞または動名詞（＿＿ing）を配置します。toの後ろには、動詞の原形を配置します。またこのほかにも、has(have) promoted the development ofで「〜の開発を促してきた」などの類似表現が使えます。

The increase in the world's population and the demand for energy **has increased the need** to use different sources of energy generation.
世界人口の増加とエネルギー需要の増加によって、種々のエネルギー生成源を利用する必要性が高まっている。

Macroalgae as a potential source of biomass for generation of biofuel: Artificial intelligence, challenges, and future insights towards a sustainable environment. *FUEL*, 336, Mar 15 2023

研究の背景

The rapid revolution in the solar industry over the last several years **has increased the significance** of photovoltaic (PV) systems.

過去数年間において太陽光発電産業の急速な変革が起こったことにより、太陽光発電（PV）システムの重要性が増した。

Application of Artificial Intelligence in PV Fault Detection. *SUSTAINABILITY*, 14 (21), Nov 2022

Recent advances in biomedical engineering **have promoted** the development of innovative metal implants that have integrated mechanical and biodegradable properties.

近年の生体医工学の進歩により、機械的特性と生分解性を兼ね備えた革新的な金属インプラントの開発が進められている。

Multiscale topology optimization of biodegradable metal matrix composite structures for additive manufacturing. *APPLIED MATHEMATICAL MODELLING*, 114, pp. 799-822, Feb 2023

---

5. 近年、（ **b** ）のために、（ **a** ）に注目が集まっている。

[**a**] has(have) attracted/gained attention due to [**b**].

　無生物を主語にして、現在完了形で「注目が集まっている」を表現します。due toなどの後ろに理由を記載します。

Passive dynamic walking (PDW) **has attracted** much research **attention due to** its humanoid and energy efficient gaits.

受動的動歩行は、人に類似しかつエネルギー効率の良い歩行動作を特徴とするため、研究上、注目されている。

Intelligent controller for passivity-based biped robot using deep Q network. *JOURNAL OF INTELLIGENT & FUZZY SYSTEMS*, 36 (1), pp. 731-745, 2019

Passive seismic methods in highly populated urban areas **have gained** much **attention** from the geophysics and civil engineering communities.

人口密度の高い都市部における受動的地震探査法は、地球物理学や土木工学の分野で注目されてきた。

Comparisons between non-interferometric and interferometric passive surface wave imaging methods-towards linear receiver array. *GEOPHYSICAL JOURNAL INTERNATIONAL*, 233 (1), pp. 680-699, Apr 2023

6.（ **b** ）のための（ **a** ）が開発されてきた。

［ **a** ］has(have) been developed to/for［ **b** ］.

　主題を一般論として導入するために使います。例えば、「〜するための方法がある」を There are methods... とせず、「〜するための方法が開発されてきた」と読みかえることで、この型が使えます。to不定詞またはforの後ろに名詞や動名詞を配置します。

Assistive robots **have been developed** to help people with motor or cognitive disabilities to perform

研究の背景

activities of daily living (ADLs) independently.
運動障害や認知障害のある人が日常生活動作（ADL）を自立して行うことを支援するために、アシストロボットが開発されている。

Hybrid brain/neural interface and autonomous vision-guided whole-arm exoskeleton control to perform activities of daily living (ADLs). *JOURNAL OF NEUROENGINEERING AND REHABILITATION*, 20 (1), May 6 2023

Many artificial intelligence-based predictive techniques **have been developed for** assessing elastic modulus (E) of rocks using results of simple rock index tests.
簡易な岩石指標試験の結果を用いて岩石の弾性率（E）を評価するために、人工知能を用いた予測技術が数多く開発されている。

Elastic modulus estimation of weak rock samples using random forest technique. *BULLETIN OF ENGINEERING GEOLOGY AND THE ENVIRONMENT*, 82 (5), May 2023

7.（　**a**　）は、（　**b**　）となってきた（具体的な内容）。
〔　**a**　〕has(have) shown/caused/別動詞〔　**b**　〕.

4. と同じ無生物主語によるSVOの型ですが、より多様な内容を表す例文を紹介します。時制はほかの型と同様に現在完了形を使います。

The Internet of Things (IoT) **has shown** rapid growth and wide adoption in recent years.

モノのインターネット（IoT）は近年、急速な成長を遂げて広く普及した。

Efficient Approach for Anomaly Detection in IoT Using System Calls. *SENSORS*, 23 (2), Jan 2023

Immune checkpoint blockade (ICB) with antibodies **has shown** durable clinical responses in a wide range of cancer types, but the overall response rate is still limited.

抗体による免疫チェックポイント阻害療法は、幅広いがん種で持続的な臨床効果を示しているが、全体の奏効率には未だ限界がある。

A PD-L1/EGFR bispecific antibody combines immune checkpoint blockade and direct anti-cancer action for an enhanced anti-tumor response. *ONCOIMMUNOLOGY*, 12 (1), Apr 24 2023

Climate change and heavy reservoir regulation in the lower Lancang River basin (LLRB) **have caused** significant impacts on terrestrial water storage (TWS) in several ways, including changes in surface water storage (SWS), soil moisture storage (SMS), and groundwater storage (GWS).

瀾滄江下流域における気候変動と厳しい貯水池規制は、地表水貯水量、土壌水分貯水量、地下水貯水量の変化といったいくつかの側面で陸域貯水量に大きな影響を及ぼしている。

Impacts of Water Resources Management on Land Water Storage in the Lower Lancang River Basin: Insights from Multi-Mission Earth Observations. *REMOTE SENSING*, 15 (7), Apr 2023

研究の背景

Over the past few years, the rapid growth of air traffic and the associated increase in emissions **have created a need for** sustainable aviation.

ここ数年、航空交通量の急増とそれに伴う排出量の増加により、持続可能な航空へのニーズが高まっている。

Hydrogen-Powered Aviation—Design of a Hybrid-Electric Regional Aircraft for Entry into Service in 2040. *AEROSPACE*, 10 (3), Mar 2023

Tips for Readers
「近年」は現在形でnowadays、現在完了形でrecently

学生 アブストラクトの書き出しの英文ができました。見てください。

誤 Plastic pollution is recently a worldwide problem, most notably in marine environments.
（近年、プラスチック汚染が世界的な問題となっており、特に海洋環境において顕著な問題となっている。）

——「近年」について、時制が現在形のときにrecentlyを使うのは不適です。recentlyと一緒に使う時制は「現在完了形」または「過去形」です。recentlyを使用するのであれば、時制を現在完了形に変え、現在形を保持するのであれば、recentlyではなくnowadaysを用います。nowadaysは単語の中に「now（今）」が含まれているので、現在形と一緒に使えることが理解しやすいでしょう。

学生 つまり、このように直せば正しくなりますか。

正 Plastic pollution has recently been a worldwide problem, most notably in marine environments.

正 Plastic pollution is nowadays a worldwide

---

problem, most notably in marine environments.
——正しい英文にできました。国際ジャーナルからの例文
も読んでおきましょう。「近年」を表すrecently、
nowadaysが正しい時制と共に使われています。

【recently ＋現在完了形】

Plastic-induced pollution **has recently triggered** global environmental, biodiversity, and public health concerns.

プラスチックによる汚染は近年、地球環境、生物多様性、公衆衛生上の懸念を引き起こしている。

Sustainable Microplastic Remediation with Record Capacity Unleashed via Surface Engineering of Natural Fungal Mycelium Framework. *ADVANCED FUNCTIONAL MATERIALS*, 33 (27), Jul 2023

【nowadays＋現在形】

Plastic pollution **is nowadays** a relevant threat for the ecological balance in marine ecosystems.

プラスチック汚染は現在、海洋生態系の生態系バランスを脅かす脅威となっている。

Impact of Plastic Debris on the Gut Microbiota of *Caretta caretta* From Northwestern Adriatic Sea. *FRONTIERS IN MARINE SCIENCE*, 8, Feb 19 2021

研究の背景

　導入部分で研究の主題を紹介し終えたら、解決する問題へと速やかに話題を移します。先行技術で何ができていないのか、何が明らかになっていないのか、何の調査やデータが不足しているのか、といった研究の限界や問題を表す定番表現を紹介します。「できない」や「明らかでない」という否定の内容を、notを使わない肯定文で表します。例えば、肯定文で表すことができます。例えば、「未だ明らかになっていない」を has(have) not been clarified yet ではなく remain(s) unclear、「～することができない」を cannot do ではなく is(are) in capable of doing と表現できます。基本的に1例を選んで使ってください。

テンプレート

1. (**a**) はまだ明らかになっていない。

[**a**] remain(s) unclear/(largely) unknown/unexplored/controversial/undefined/poorly defined.

2. (**a**) は難しい／議論の余地がある。

[**a**] remain(s) a challenge/controversial.

3. (**a**) は、(**b**) することができない。

[**a**] is(are) incapable of [**b**].

4. 従来の (**a**) では (**b**) してしまう。

Conventional [**a**][**b**].

5. (**a**) には、(**b**) の限界がある。

[**a**] is(are)/has(have) been limited/restricted by [**b**].

6. (**a**) はほとんど調査／研究／分析されてこなかった。

[**a**] has(have) been rarely investigated/studied/analyzed.

7. (**a**) に関するデータが不足している。

Data is(are) sparse/lacking for/on [**a**].

No data has(have) been reported/is(are) available for/on [**a**].

Scattered data is(are) present on [**a**].

8. (**a**) は、ほとんど知られていない。

Little is known/understood about [**a**].

1.（ a ）はまだ明らかになっていない。

[**a**] remain(s) unclear/(largely) unknown/
unexplored/controversial/undefined/poorly defined.

「依然として〜である」を表す動詞remainとunclear（明らかでない）、unkonwn（知られていない）といった形容詞を使って研究の限界を表します。加えて、largely（大きく）といった副詞で程度を調整することもできます。逆接の内容となることが多く、文頭にHowever,（しかし）といった接続副詞を配置することが可能です。

However, the aging-associated molecular mechanisms **remain unclear**.
しかし、老化に関連する分子メカニズムは依然として不明である。

Nuclear lamina erosion-induced resurrection of endogenous retroviruses underlies neuronal aging. *CELL REPORTS*, 42 (6), Jun 27 2023

The biological process for algae degradation **remains undefined**.
藻類が分解される生物学的プロセスは未だ解明されていない。

Microbiological degradation of macroalgae waste and its potential considerations for agricultural applications. *JOURNAL OF APPLIED PHYCOLOGY*, 33 (4), pp.2645-2654, Aug 2021

However, the regulatory profile of individual bacterial species and strain on lipid homeostasis **remains**

largely unknown.
しかし、脂質ホメオスタシスに関する個々の細菌種や菌株の制御プロファイルの大半は解明されていない。

Strain-level screening of human gut microbes identifies
Blautia producta as a new anti-hyperlipidemic probiotic.
GUT MICROBES, 15 (1), Dec 31 2023

Depression is the most common mental health disorder in patients with PD; however, effective treatment **remains poorly defined**.

PD = Parkinson's disease

うつ病はパーキンソン病患者に最もよく見られる精神疾患であるが、効果的な治療法はまだ十分に確立していない。

The Treatment of Depression in Parkinson's Disease.
U. S. PHARMACIST, 48 (5), pp. 48-57, May 2023

研究の背景

2.（ a ）は難しい／議論の余地がある。
[**a**] remain(s) a challenge/controversial.

---

1. と同様に動詞remainを使います。「難しい」を意味するchallengeには、a great challenge（非常に難しい）、an experimental challenge（実験上困難）などと修飾する形容詞を自在に配置できます。

However, fast charging of energy-dense batteries (more than 250 Wh kg^{-1} or higher than 4 mAh cm^{-2}) **remains a great challenge**.
しかし、エネルギー密度の高いバッテリー（250Whkg^{-1}や4mAhcm^{-2}を超える）の急速充電は、依然として大きな

課題である。

Fast charging of energy-dense lithium-ion batteries. *NATURE*, 611 (7936), pp. 485-490, Nov 17 2022

However, investigating ion mobility **remains an experimental challenge**.
しかし、イオン移動度の調査は、未だ実験上の課題となっている。

Effective Modulation of Ion Mobility through Solid-State Single-Digit Nanopores. *NANOMATERIALS*, 12 (22), Nov 2022

However, developing synthetic methods to generate a variety of MOFNs **remains an experimental challenge**, particularly for water-stable materials.
しかし、様々な金属有機構造体ナノシートを生成するための合成法の開発は、特に耐水材料に関して、依然として実験上の課題となっている。

MOFN = Metal-organic framework nanosheet

Cu-Based Metal-Organic Framework Nanosheets Synthesized via a Three-Layer Bottom-Up Method for the Catalytic Conversion of *S*-Nitrosoglutathione to Nitric Oxide. *ACS APPLIED NANO MATERIALS*, 5 (1), pp. 486-496, Jan 28 2022

The impact of obesity on cognitive function in patients with type 2 diabetes mellitus (T2DM) **remains controversial.**
2型糖尿病患者の認知機能に対する肥満の影響については、依然として議論の余地がある。

Obesity is associated with greater cognitive function in patients with type 2 diabetes mellitus. *FRONTIERS IN ENDOCRINOLOGY*, 13, Oct 24 2022

3.（ **a** ）は、（ **b** ）することができない。

[**a**] is(are) incapable of [**b**].

be incapable ofを使って、「〜できない」という研究の限界を表します。ofの後ろには動詞のing形や動詞の名詞形を配置します。逆接の接続語However,を冒頭に配置することが通例です。

However, active seismic surveys **are** usually **incapable of** continuous observations.
しかし、能動的地震探査では、通常、連続的な観測は不可能である。

Seismic ambient noise auto-correlation imaging in a CO_2 storage area. *JOURNAL OF GEOPHYSICS AND ENGINEERING*, 19 (5), pp. 1134-1148, Oct 17 2022

However, conventional privacy-preserving fuzzy multi-keyword search schemes **are incapable of** achieving the result verification and adaptive security.
しかし、従来のプライバシー保護ファジー多キーワード検索方式では、結果の検証やアダプティブセキュリティを実現することができない。

Verifiable Fuzzy Multi-Keyword Search Over Encrypted Data With Adaptive Security. *IEEE TRANSACTIONS ON KNOWLEDGE AND DATA ENGINEERING*, 35 (5), pp. 5386-5399, May 1 2023

4. 従来の（ **a** ）では（ **b** ）してしまう。

Conventional [**a**][**b**].

　逆接のHowever, を文頭に配置し、「従来の〜」を主語にしたら、be動詞と形容詞で主語を描写したり、have といった平易な他動詞を使って研究の限界を表現します。

However, **conventional topology derivation methods** for multiport dc-dc converters are usually intricate and time-consuming.
しかし、従来の多ポートDC-DCコンバータのトポロジー導出法は、複雑で時間がかかるのが通例であった。

Topology Derivation of Multiport DC-DC Converters Based on Reinforcement Learning. *IEEE TRANSACTIONS ON POWER ELECTRONICS*, 38 (4), pp. 5055-5064, Apr 2023

However, **conventional SCs** have limited applications in energy storage devices due to their unsatisfactory environmental tolerance, easy detachment of electrodes and electrolytes, and poor stretchability.
しかし、従来の伸縮自在スーパーキャパシタは、環境耐性が不十分で、電極や電解質がはがれやすく、伸縮性に乏しいため、エネルギー貯蔵デバイスとしての利用が限られている。

SC = stretchable supercapacitor

All-in-One Configured Flexible Supercapacitor for Wide-Temperature Operation and Integrated Application. *ACS APPLIED ENERGY MATERIALS*, 6 (8), pp. 4157-4167, Apr 24 2023

5.（ a ）には、（ b ）の限界がある。

[a] is(are)/has(have) been limited/restricted by
[b].

　主題を主語にして、後半に問題点を配置することで研究限界を表します。limited、restrictedのいずれも可能です。byに続けてthe need for/to（〜が必要なため）、the lack of（〜が欠落しているため）などと受動態の動作主byをあえて使うことで、問題点を強調できます。byの後ろは現状の問題を配置するため、theで特定します。時制は現在形、現在完了形が可能です。

Fiber-based micro-endoscopes are minimally invasive, but 3D imaging **is limited by** the need for bulky optical elements or rigid fibers.
ファイバーを利用したマイクロ内視鏡は低侵襲だが、かさばる光学素子や硬いファイバーが必要なため、3Dイメージングには限界があった。

Real-time holographic lensless micro-endoscopy through flexible fibers via fiber bundle distal holography. *NATURE COMMUNICATIONS*, 13 (1), Oct 13 2022

The widespread application of protonic ceramic fuel cells **is limited by** the lack of oxygen electrodes with excellent activity and stability.
プロトン伝導性セラミック燃料電池は、活性と安定性に優れた酸素電極がないため、その普及には限界がある。

Fluorine Anion-Doped $Ba_{0.6}Sr_{0.4}Co_{0.7}Fe_{0.2}Nb_{0.1}O_{3-\delta}$ as a Promising Cathode for Protonic Ceramic Fuel Cells. *CATALYSTS*, 13 (5), Apr 23 2023

Islet transplantation for type 1 diabetes treatment **has been limited by** the need for lifelong immunosuppression regimens.

1型糖尿病治療のための膵島移植は、生涯にわたる免疫抑制療法が必要になるため、その実施には限界があった。

A therapeutic convection-enhanced macroencapsulation device for enhancing β cell viability and insulin secretion. *PROCEEDINGS OF THE NATIONAL ACADEMY OF SCIENCES OF THE UNITED STATES OF AMERICA*, 118 (37), Sep 14 2021

However, enzyme formulation **has been limited by** the need to maintain the catalytic function, which is governed by protein conformation.

しかし、酵素の製剤化には、タンパク質の立体構造に支配される触媒機能を維持する必要があるため限界があった。

In Silico and In Vitro Tailoring of a Chitosan Nanoformulation of a Human Metabolic Enzyme. *PHARMACEUTICS*, 13 (3), Mar 2021

However, smartphone based upconversional paper sensors **have been restricted by the lack of** effective methods to acquire luminescence signals on test paper.

しかしながら、スマートフォンベースのアップコンバージョンによる紙センサーは、試験紙上に発光信号を得るための効果的な方法が存在していなかったため、利用が限られていた。

Smartphone based visual and quantitative assays on upconversional paper sensor. *BIOSENSORS & BIOELECTRONICS*, 75, pp. 427-432, Jan 15 2016

The commercialization of uncooledlead-salt photoconductive (PbXPC) detectors **has been restricted by** the low-yield of standard chemicalbath deposition (CBD) manufacturing technology.
非冷却鉛塩光導電検出器の商業化は、標準的な化学浴推積法による製造技術の収率の低さによって限界があった。

Wafer-Scale High-Detectivity Near-Infrared PbS Detectors Fabricated from Vapor Phase Deposition. *JOURNAL OF PHYSICAL CHEMISTRY C*, 127 (22), pp. 10784-10791, May 23 2023

6.（ **a** ）はほとんど調査／研究／分析されてこなかった。
[**a**] has (have) been rarely investigated/studied/analyzed.

　既存の研究が存在していないことを表します。前半には自由な文章を配置し、後半で逆接の接続詞but や however を使い、研究の限界を記載します。

Cocatalysts have been extensively used to accelerate the rate of hydrogen evolution in semiconductor-based photocatalytic systems, but the influence of interface state between semiconductor and cocatalyst **has been rarely investigated**.
半導体を用いた光触媒システムにおける水素発生速度の高速化に共触媒が広く用いられてきたが、半導体と共触媒の界面状態の影響についてはほとんど調査されてこなかった。

Constructing Anatase TiO2 Nanosheets with Exposed (001) Facets/ Layered MoS2 Two-Dimensional Nanojunctions for Enhanced Solar Hydrogen Generation. *ACS CATALYSIS*, 6 (2) , pp. 532-541, Feb 2016

Clinical prediction models (CPMs) constructed based on artificial intelligence have been proven to have positive impacts on clinical activities. However, the deterioration of CPM performance over time **has rarely been studied**.

人工知能に基づいて構築された臨床予測モデルは、臨床活動に好適な影響を与えることが立証されている。しかし、臨床予測モデル性能の経年劣化については、ほとんど研究されていない。

A novel lifelong machine learning-based method to eliminate calibration drift in clinical prediction models. *ARTIFICIAL INTELLIGENCE IN MEDICINE*, 125, Mar 2022

However, the air pollutant reduction rate by street trees in different types of street canyon **has rarely been analyzed** for real urban environments.

しかし、様々なタイプの街路峡谷における街路樹による大気汚染物質の低減率は、実際の都市環境についてほとんど分析されていない。

Does street canyon morphology shape particulate matter reduction capacity by street trees in real urban environments?. *URBAN FORESTRY & URBAN GREENING*, 78, Dec 2022

7.（ a ）に関するデータが不足している。

Data is(are) sparse/lacking for/on ［ a ］.

No data has(have) been reported/is(are) available for/on ［ a ］.

Scattered data is(are) present on ［ a ］.

　研究のデータが不足していることを表します。「あまりない」にはdata is(are) sparse（まばらな）、lacking（欠落している）やscattered dataを使い、「全くない」にはno dataを使います。名詞dataは、不可算として単数で扱うか、または同じ形で複数形扱いし、続く動詞をareとすることもできます。sparseやlackingに続く前置詞は、for（〜に関するデータ）やon（〜のデータ）が使えます。

Data is lacking on prevalence of benign and malignant pulmonary parenchymal abnormalities in this population.
この集団における良性および悪性の肺実質異常の有病率に関するデータは不足している。

Benign and malignant pulmonary parenchymal findings on chest CT among adult survivors of childhood and young adult cancer with a history of chest radiotherapy. *JOURNAL OF CANCER SURVIVORSHIP*, https://pubmed.ncbi.nlm.nih.gov/37209240/, May 2023（早期公開）

However, the **data is lacking for** postoperative, oncologic, and functional outcomes for these patients.
しかし、これらの患者の術後、腫瘍学的、機能的転帰に関

するデータは不足している。

Salvage Radical Prostatectomy after Primary Focal Ablative Therapy: A Systematic Review and Meta-Analysis. *CANCERS*, 15 (10), May 12 2023

However, **data is sparse for** these key metrics, which presents a significant risk for CGS projects.

CGS = carbon geo-sequestration

しかし、これらの主要指標に関するデータは不足しており、炭素地中貯留プロジェクトにとって重大なリスクとなる。

Capillary pressure characteristics of CO_2-brine-sandstone systems. *INTERNATIONAL JOURNAL OF GREENHOUSE GAS CONTROL*, 94, Mar 2020

However, previous observational **data** at cruise altitudes **are sparse for** engines burning conventional fuels, and **no data have** previously been reported for biofuel use in-flight.

しかし、これまで、従来型燃料を燃焼させるエンジンについては巡航高度の観測データがほとんどなく、飛行中のバイオ燃料の使用について報告されたデータは一つもなかった。

Biofuel blending reduces particle emissions from aircraft engines at cruise conditions. *NATURE*, 543 (7645), pp. 411-415, Mar 16 2017

Multiple extrapulmonary manifestations and complications of COVID-19 have already been described, but only **scattered data are present on** immunologic manifestations.

COVID-19の複数の肺外症状や合併症については説明されているが、免疫系の症状については十分なデータがない。

Severe refractory thrombocytopenia in a woman positive for coronavirus disease 2019 with lupus and antiphospholipid syndrome. *LUPUS*, 29 (11), pp. 1472-1474, Jul 2020

No data is available on the impact of gastrointestinal digestion of such crude extracts on their antidiabetic activity.
このような粗抽出物の消化管消化が抗糖尿病活性に及ぼす影響については、データがない。

Polyphenolic compounds of *Phyllanthus amarus* Schum & Thonn. (1827) and diabetes-related activity of an aqueous extract as affected by in vitro gastrointestinal digestion. *JOURNAL OF ETHNOPHARMACOLOGY*, 315, Oct 28 2023

研究の背景

8.（ **a** ）は、ほとんど知られていない。
Little is known/understood about [　**a**　].

「ほとんど〜ない」を表すlittleを使って、既存の研究が存在していないことを表します。aboutの後ろには名詞を配置します。

However, **little is known about** the effects of supplementary light and pulsed LEDs on plant growth, bioactive compound productions, and energy efficiency in lettuce.
しかし、補光やパルス式LEDが植物の生育、生理活性物質の生成、レタスのエネルギー効率に与える影響についてはほとんど知られていない。

Application of supplementary white and pulsed light-emitting diodes to lettuce grown in a plant factory with artificial lighting. *HORTICULTURE ENVIRONMENT AND BIOTECHNOLOGY*, 57 (6) , pp. 560-572, Dec 2016

Wildland fire is expected to increase in response to global warming, yet **little is known about** future changes to fire regimes in Europe.

地球温暖化に伴い、野火は増加すると予想されているが、ヨーロッパにおいて今後どのような火災体制の変更されるかについてはほとんどわかっていない。

Global Warming Reshapes European Pyroregions. *EARTH'S FUTURE*, 11 (5), May 2023

Although Chatbots have received tremendous interest, **little is understood about** how different usage contexts affect Chatbots' effectiveness in mobile commerce.

チャットボットへの関心は非常に高いが、モバイルコマースにおける有効性について、チャットボットの利用状況がどのように影響するかについてはほとんどわかっていない。

Chatbot commerce-How contextual factors affect Chatbot effectiveness. *ELECTRONIC MARKETS*, 33 (1), Dec 2023

Tips for Readers

便利な例示表現 includingとsuch as

学生 アブストラクトは導入、今回の研究、主な結果と今後、という3つの部分からなるとのことで、各部分の定番

表現を学びはじめました。これら3つの部分の随所で使える表現はありますか。

——「〜など」と例示する表現が随所で使えます。代表的な表現はincluding（〜を含む）とsuch as（〜のような）です。類似の表現ですが、微妙なニュアンスの違いをあげるとすれば、includingは「〜を代表とする」というように例示部分が強調され、such asは淡々と例をあげている印象になります。文中のどの場所でも使えます。

研究の背景

The displays of various devices **such as TVs, laptops, and mobile phones** vary greatly in size, aspect ratio, and resolution.

テレビ、ノートパソコン、携帯電話などの各種機器のディスプレイは、大きさ、縦横比、解像度などが大きく異なる。

Building an image set for modeling image re-targeting using deep learning. *SIMULATION MODELLING PRACTICE AND THEORY*, 126, Jul 2023

Generative artificial intelligence (GAI) applications, **such as ChatGPT (Chat Generative Pre-trained Transformer) and Midjourney**, have recently attracted much attention from researchers and school teachers.

近年、ChatGPTやMidjourneyなどの生成AIアプリケーションが研究者や学校の教師らの間で注目されている。

Editorial Position Paper: Exploring the Potential of Generative Artificial Intelligence in Education: Applications, Challenges, and Future Research Directions. *EDUCATIONAL TECHNOLOGY & SOCIETY*, 26 (2), Apr 2023

学生　such asでの例示を確認できました。such asの後ろの例示は、コンマがあるものとないものがありますが、違いはありますか。

――コンマなしは限定用法、つまり devices such as TVs, laptops, and mobile phones は「テレビ、ノートパソコン、携帯電話などの各種機器」が限定的に修飾しています。一方、Generative artificial intelligence (GAI) applications, such as ChatGPT... は、「生成AIは…」が伝えたいメインの情報で、生成AIの例示は ChatGPT、というように、非限定的、つまり付加的に修飾しています。including も同様です。

This study investigates the workability of tree-based techniques **including random forest (RF), AdaBoost, extreme gradient boosting, and CatBoost.**
本研究では、ランダムフォレスト（RF）、AdaBoost、XGBoost、CatBoost などのツリーベースの手法の有効性を調査した。

Elastic modulus estimation of weak rock samples using random forest technique. *BULLETIN OF ENGINEERING GEOLOGY AND THE ENVIRONMENT*, 82 (5), May 2023

This approach offers a range of benefits, **including personalized learning experiences, real-time feedback, and interactive engagement**.
このアプローチにより、パーソナライズされた学習体験、リアルタイムのフィードバック、インタラクティブなエンゲージメントなど、さまざまな利点が提供される。

Design and Application of Intelligent Classroom for English Language and Literature Based on Artificial Intelligence Technology. *APPLIED ARTIFICIAL INTELLIGENCE*, 37 (1), Dec 31 2023

学生　including と such as のいずれも例示できて、コンマありとコンマなしがあることが理解できました。

研究内容の詳細説明

第7章

テンプレート❸
アブストラクト：
研究内容

7-1 今回の研究

　導入を終えたら、次はいよいよ今回の研究が何であるかという実質的な描写に入ります。導入の長さは執筆内容に応じて変わりますが、3行程度におさめ、早期にここからの本題へ移行するのが通例です。実際に何をどのように行ったかを具体的に述べます。論文本文の方法（Methods）にあたる重要な部分で、著者の研究のオリジナリティが示されます。まずは、導入から研究内容へと切り替えるための1文を選択します。現在形や現在完了形の時制を使って、普遍的なこと（現在形）、過去に開始し現在も続いていること（現在完了形）として、今回の研究を描写します。

1. 本論文では、（ **b** ）である（ **a** ）について報告／実証／提示／提案する。

Here, we report/demonstrate/present/propose [**a**] that/for/of/to [**b**].

2. 本研究では、（ **a** ）を開発した。

In this study, we have developed [**a**].

3. 本研究では、（ **a** ）を実証する。

In this work/study, we demonstrate [**a**].

4. 研究の目的は、（ **a** ）することである。

This study aims to [**a**].
Our aim is to [**a**].

5. 本研究では、（ **a** ）を提示／使用する。

This work/study presents/uses [**a**].

6. （ **a** ）という仮説を立てた。

Our hypothesis is that [**a**].
We hypothesize that [**a**].

---

1. 本論文では、（ **b** ）である（ **a** ）について報告／実証／提示／提案する。

Here, we report/demonstrate/present/propose ［ **a** ］ that/for/of/to ［ **b** ］.

文頭にHereを配置し、著者であるweを主語にして研究内容を示す定番の表現です。動詞はreport（報告する）、demonstrate（実証する）、present（提示する）、propose（提案する）などが使えます。報告・実証・提示・提案する対象となる目的語の名詞は、関係代名詞の限定用法のthat、前置詞forやof、to不定詞で詳細な説明を加えて定義します。Hereの後にはコンマを使うのが通例ですが、省略される例も多く見られます。

Here, we report the diagnostic accuracy of simultaneous detection of 6 types of early-stage cancers (lung, breast, colon, liver, pancreas, and stomach) by analyzing surface-enhanced Raman spectroscopy profiles of exosomes using artificial intelligence in a retrospective study design.

本論文では、エクソソームの表面増強ラマン分光プロファイルを人工知能を用いて解析することにより、6種類の早期がん（肺、乳房、大腸、肝臓、膵臓、胃）を同時に検出する診断精度を遡及的研究として報告する。

Single test-based diagnosis of multiple cancer types using Exosome-SERS-AI for early stage cancers. *NATURE COMMUNICATIONS*, 14 (1), Mar 24 2023

Here, we demonstrate a feasible strategy of two-dimensional (2D) nanojuctions **to** enhance solar hydrogen generation of the MoS_2/TiO_2 system.

本論文では、MoS_2／TiO_2系の太陽光による水素生成を効率化するための二次元ナノ接合についての実現可能な戦略を実証する。

Constructing Anatase TiO2 Nanosheets with Exposed (001) Facets/Layered MoS2 Two-Dimensional Nanojunctions for Enhanced Solar Hydrogen Generation. *ACS CATALYSIS*, 6 (2), pp. 532-541, Feb 2016

Here, we present a platform (IsletSwipe) **for** an exchange of graphical opinions among experts to facilitate the consensus formation.

本論文では、合意形成を促進するために、複数の専門家がグラフィカルな意見交換をするためのプラットフォーム (IsletSwipe) を提示する。

IsletSwipe, a mobile platform for expert opinion exchange on islet graft images. *ISLETS*, 15 (1), Dec 31 2023

Here, we propose a continuum model **that** resolves the nonlinear coupling of preferential melt flow and the nonequilibrium thermodynamics of ice-melt phase change at the Darcy scale.

本論文では、優先融解流の非線形結合と、ダルシー・スケールにおける氷−融液相変化の非平衡熱力学を解決する連続体モデルを提案する。

A Thermodynamic Nonequilibrium Model for Preferential Infiltration and Refreezing of Melt in Snow. *WATER RESOURCES RESEARCH*, 59 (5), May 2023

2. 本研究では、（　**a**　）を開発した。

In this study, we have developed ［　**a**　］.

　現在完了形を使って、今回の研究で開発した手法や装置を提示します。目的語となる名詞が具体的にどのようなものかを前置詞for/of/toや関係代名詞限定用法thatなどを使って説明します。

In this study, we have developed the first machine learning-based computational model for predicting abiotic stress-responsive lncRNAs.

本研究では、機械学習に基づく計算モデルで初の非生物ストレス応答性lncRNAを予測するモデルを開発した。

ASLncR: a novel computational tool for prediction of abiotic stress-responsive long non-coding RNAs in plants. *FUNCTIONAL& INTEGRATIVE GENOMICS*, 23 (2), Jul 1 2023

In this study, we have developed a mathematical model that relates the microscale PEMFC degradation to the probability of a macroscale explosion in a Fuel Cell Electric Vehicle (FCEV).

PEMFC = proton exchange membrane fuel cell

本研究では、燃料電池電気自動車におけるマイクロスケールの固体高分子形燃料電池の劣化とマクロスケールの爆発確率を関連付ける数学モデルを開発した。

Intensifying vehicular proton exchange membrane fuel cells for safer and durable, design and operation. *INTERNATIONAL JOURNAL OF HYDROGEN ENERGY*, 45 (7), pp. 5039-5054, Feb 7 2020

研究内容

We have developed a global model to estimate emissions of volatile organic compounds from natural sources (NVOC).

我々は、自然発生源からの揮発性有機化合物の排出量を推定するためのグローバルモデルを開発した。

A global model of nature volatile organiccompound emissions.
JOURNAL OF GEOPHYSICAL RESEARCH-ATMOSPHERES,
100, (D5), pp. 8873-8892, May 20 1995

3. 本研究では、（　**a**　）を実証する。

In this work/study, we demonstrate [　**a**　].

　著者weを主語にして、現在形で研究内容を表します。

In this work, **we demonstrate** the one-step facile preparation of MoP nanosheets supported on carbon flake via a solid-state reaction with the use of $(NH_4)_6Mo_7O_{24} \cdot 4H_2O$, $NaH_2PO_4 \cdot 2H_2O$ and a biomass, sodium alginate, as Mo, P and C sources, respectively.

本研究では、固相反応により、Mo、P、C源として $(NH_4)_6Mo_7O_{24} \cdot 4H_2O$、$NaH_2PO_4 \cdot 2H_2O$、とバイオマスであるアルギン酸ナトリウムをそれぞれ使用し、炭素フレークに担持されたMoPナノシートを簡便に作製する1ステップ準備工程を実証する。

MoP nanosheets supported on biomass-derived carbon flake:
One-step facile preparation and application as a novel high-
active electrocatalyst toward hydrogen evolution reaction.
APPLIED CATALYSIS B:ENVIRONMENTAL, 164, pp. 144-
150, Mar 2015

In this study, we demonstrate a facile and effective strategy to promote the electrocatalytic activity of MOFs in the OER by introducing high-valent metal centers.

本研究では、高原子価の金属中心を導入することにより、酸素増感化における金属有機構造体の電極触媒活性を促進する簡便かつ効果的な戦略を実証する。

MOF = metal-organic framework   OER = oxygen evolution reaction

Enhancing the electrocatalytic activity of metal-organic frameworks in the oxygen evolution reaction by introducing high-valent metal centers. *JOURNAL OF MATERIALS CHEMISTRY A*, 11 (31), pp. 16683-16694, Aug 8 2023

4. 研究の目的は、（ **a** ）することである。

This study aims to〔 **a** 〕.

Our aim is to〔 **a** 〕.

研究の目的を動詞または名詞のaimとto不定詞を使って表します。

This study aims to estimate thermal comfort using the human heat balance model combined with a numerical meteorological model in Seoul mega city during the heat wave periods experienced during 2016.

本研究の目的は、2016年に起こった大都市ソウルの熱波期間において、数値気象モデルと組み合わせた人体熱収支モデルを用いて熱的快適性を推定することである。

研究内容

Estimation of thermal comfort felt by human exposed
to extreme heat wave in a complex urban area using a
WRF-MENEX model. *INTERNATIONAL JOURNAL OF
BIOMETEOROLOGY*, 63 (7), pp. 927-938, Jul 2019

Our aim is to evaluate the performance of ChatGPT in answering patients' questions regarding gastrointestinal health.

今回の目的は、胃腸の健康に関する患者の質問に答える ChatGPTの性能を評価することである。

Evaluating the Utility of a Large Language Model in Answering
Common Patients' Gastrointestinal Health-Related Questions:
Are We There Yet?. *DIAGNOSTICS*, 13 (11), Jun 2 2023

---

5. 本研究では、（　**a**　）を提示／使用する。

This work/study presents/uses［　**a**　］.

「本研究」を主語にし、動詞present（提示する）やuse（使用する）を使って現在形で表現します。主語は「本研究」以外にも「本モデル」などに変更することが可能です。

The work presents a solution to this problem through a system enabling the non-deaf and mute (ND-M) to communicate with the D-M individuals without the need to learn sign language.

本研究では、この問題を解決するために、非難聴者や非ろう者が手話を学ぶことなく、聴覚障がい者とコミュニケーションがとれるシステムを提示する。

A Machine Learning Based Full Duplex System Supporting Multiple Sign Languages for the Deaf and Mute. *APPLIED SCIENCES* 13 (5), Mar 2023,

The study uses bibliometric analysis to evaluate the development and growth of recommender systems in higher education.

本研究では、計量書誌学的分析を用いて高等教育における
レコメンダーシステムの発展と成長を評価した。

Fifteen Years of Recommender Systems Research in Higher Education: Current Trends and Future Direction. *APPLIED ARTIFICIAL INTELLIGENCE*, 37 (1), Dec 31 2023

The model uses AI technology to integrate and analyze multi-source heterogeneous data, providing insights into the senior tourism market and facilitating precise marketing.

本モデルでは、AI技術により複数のソースの異種データ
を統合分析し、高齢者向け観光市場に関する洞察を提供す
ることで的確なマーケティングを促進する。

Circular Economy Model for Elderly Tourism Operation Based on Multi-source Heterogeneous Data Integration. *APPLIED ARTIFICIAL INTELLIGENCE*, 37 (1), Dec 31 2023

研究内容

6. （　**a**　）という仮説を立てた。

Our hypothesis is that ［　**a**　］.

We hypothesize that ［　**a**　］.

仮説を表すために名詞hypothesis（仮定）、動詞 hyphothesize（仮説を立てる）の両方が使えます。

Our hypothesis is that cognitive architectures provide the appropriate computational abstraction for defining a standard model, although the standard model is not itself such an architecture.

我々の仮説では、標準モデル自体が認知アーキテクチャであるのではなく、認知アーキテクチャによって標準モデルを定義する適切な計算抽象化を提供できるものである。

A Standard Model of the Mind: Toward a Common Computational Framework Across Artificial Intelligence, Cognitive Science, Neuroscience, and Robotics. *AI MAGAZINE,* 38 (4), pp. 13-26, Win 2017

We hypothesize that such platelets modify whole blood (WB) in vitro α-thrombin-evoked (10 μM/mL) activity in type 2 diabetes.

我々は、このような血小板が2型糖尿病における試験管内での全血 α-トロンビン誘発（10 μM/mL）活性を修飾すると仮定している。

Diabetes type 2: relationships between lysosomal exocytosis of circulating normal-sized platelets and in vitro α-thrombin-evoked platelet responses. *ANNALS OF MEDICINE,* 55 (1), pp. 1102-1110, Dec 31 2023

7-2 手法の説明

　今回の研究をどのようにして行ったか、つまり使用した手法や実際に行った実験について説明します。主題の特徴や構造、実験の手順を詳しく説明します。専門用語を多く使用する部分でもあります。「〜を行った」という描写においては、行為者が論文の著者であることが自明で強調する必要がないため、weを主語にせずに受動態を使います。時制は、行った調査や実験を報告する過去形に加えて、現在形の使用も可能です。

研究内容

テンプレート

1. 本研究の（ **a** ）は、（ **b** ）で構成されている。
Our/The [**a**] has(have) [**b**].
Our/The [**a**] consist(s) of/is(are) composed of [**b**].

2. （ **a** ）を（ **b** ）した。
[**a**] is(are)/was(were) [**b**].

3. 本研究では、（ **a** ）を使って（ **b** ）を行った。
This study uses/used (We use/used) [**a**] to [**b**].

4. （ **a** ）を（ **b** ）した。その後で、（ **c** ）を行った。
[**a**] was(were) [**b**], followed by [**c**].

5. （ **a** ）するために、（ **b** ）を（ **c** ）した。
To [**a**], [**b**] is(are)/was(were) [**c**].

---

1. 本研究の（ **a** ）は、（ **b** ）で構成されている。

Our/The [**a**] has(have) [**b**].
Our/The [**a**] consist(s) of/is(are) composed of
[**b**].

　平易な文を使って、主題の構成や構造を描写します。研究で扱う内容を表すため、主語にはOurやTheを使って特定します。主語を特定することで、そこに存在している、既に作成された、といった意味を表せるため、時制は現在形を使います。

Our device **consists of** a SQUID with a direct coupled 300 μm diameter flux focusing pickup loop.
今回の装置は、直径300 μmの磁束集束ピックアップループと直接結合した超伝導量子干渉計（SQUID）で構成されている。

SQUID = superconducting quantum interference device

High-TC Superconducting Quantum Interference Device Implemented on a Pulsed Tube Cooler for 1 to 50 K Materials Characterization. *IEEE TRANSACTIONS ON APPLIED SUPERCONDUCTIVITY*, 33 (5), Aug 2023

The robot **has** six joints for each arm, one balancing joint, and three joints for the head, with two cameras.
今回開発したロボットは、各アームに6つの関節、1つのバランス関節、そして頭に3つの関節があり、2台のカメラを備えている。

A humanoid robot capable of carrying heavy objects.
ROBOTICA, 29(5), pp. 667-681, Sep 2011

The obtained products **are composed of** metallic nickel-iron alloy nanoparticles either encapsulated in or dispersed on nitrogen-doped bamboo-like carbon nanotubes (CNTs).

作製した製品は、窒素をドーピングした竹のようなカーボンナノチューブに内包された、あるいは分散した金属ニッケル・鉄合金ナノ粒子で構成されている。

Facile Synthesis of Nickel-Iron/Nanocarbon Hybrids as Advanced Electrocatalysts for Efficient Water Splitting.
ACS CATALYSIS, 6 (2), pp. 580-588, Feb 2016

研究内容

2. (a) を (b) した。
[**a**] is(are)/was(were) [**b**].

何を行ったかを受動態で淡々と描写します。時制は、過去形で「報告」できる一方で、「現在形」で「論文本文に書かれている内容を伝える」ことも可能です。つまり、日本語で過去形に感じられる場合であっても、現在形で表現することも可能です。

Soil layers at depths of 0-20 and 20-40 cm **were** sampled during the shoot elongation stage (late May) and at the end of the shooting stage (late August).

新芽の伸長期（5月下旬）と新芽の終了期（8月下旬）において、深さ0～20cmおよび20～40cmの土壌層をサ

ンプリングした。

Soil Nutrient, Salinity, and Alkalinity Responses of *Dendrocalamopsis oldhami* in High-Latitude Greenhouses Depending on Planting Year and Nitrogen Application. *FORESTS*, 14 (6), Jun 2023

In our experiment, AutoProstate **was** trained using the publicly available PROSTATEx dataset, and externally validated using the PICTURE dataset.

実験において、一般に公開されているPROSTATExデータセットを用いてAutoProstateの訓練を行い、PICTUREデータセットを用いて外部検証を行った。

AutoProstate: Towards Automated Reporting of Prostate MRI for Prostate Cancer Assessment Using Deep Learning. *CANCERS*, 13 (23), Dec 2021

Three deep learning models **are** trained to classify whether the electron-dense granule is present using 910 electron microscopy images of renal biopsies.

腎生検の電子顕微鏡画像910枚を用いて、電子密度の高い顆粒が存在するかどうかを分類するために、3つのディープラーニングモデルの学習を行った。

Deep learning-based multi-model approach on electron microscopy image of renal biopsy classification. *BMC NEPHROLOGY*, 24 (1), May 9 2023

Herein, the predominant pyridinic N-B sites (accounting for 80% to all N species) **are** fabricated in hierarchically porous structure of graphene nanoribbons/amorphous carbon.

今回の研究では、ピリジニックN-Bサイト（全N種の80

％を占める）をグラフェンナノリボン／アモルファスカーボンの階層的な多孔質構造中に作製した。

Fabricating pyridinic N-B sites in porous carbon as efficient metal-free electrocatalyst in conversion CO_2 into CH_4. *CHINESE CHEMICAL LETTERS*, 34 (8), Aug 2023

In our experiment, an unknown polarization state of a single photon **is** teleported over 7m onto a remote atomic qubit that also serves as a quantum memory.
本研究の実験においては、単一光子の未知の偏光状態について、量子メモリでもある離れた原子量子ビットへ7mのテレポーテーションを行った。

Memory-built-in quantum teleportation with photonic and atomic qubits. *NATURE PHYSICS*, 4 (2), pp. 103-107, Feb 2008

研究内容

3. 本研究では、（　a　）を使って（　b　）を行った。
This study uses/used (We use/used) ［　**a**　］ to ［　**b**　］.

「本研究」を主語にして使うことで、何を行ったかを能動態で書くことが可能です。現在形・過去形の両方が使えます。to不定詞の後には目的を記載します。

The study uses a survey **to** collect responses from 400 respondents from higher educational institutions (HEIs).
本研究では、アンケート調査により高等教育機関の回答者

400名から回答を収集した。

The Technology Interface and Student Engagement Are Significant Stimuli in Sustainable Student Satisfaction. *SUSTAINABILITY*, 15 (10), May 12 2023

This study used self-designed questionnaires and artificial intelligence (AI) **to** assess and analyze the emotional state of over 30,000 college students during the outbreak period in January (T1) and home quarantine in February (T2).

本研究では、独自のアンケートとAI（人工知能）を使って、1月の感染爆発期間（T1）および2月の自粛期間（T2）において、大学生3万人以上を対象に精神状態を評価分析した。

Emotional "inflection point" in public health emergencies with the 2019 new coronavirus pneumonia (NCP) in China. *JOURNAL OF AFFECTIVE DISORDERS*, 276, pp. 797-803, Nov 1 2020

We use rapid fabrication **to** craft the holograms and achieve reconstruction degrees of freedom two orders of magnitude higher than commercial phased array sources.

高速製造を用いてホログラムを作製し、市販のフェーズドアレイ光源よりも2桁高い再構成自由度を達成した。

Holograms for acoustics. *NATURE*, 537 (7621), pp. 518-522, Sep 22 2016

We used an object classification algorithm based on deep-learning networks and augmented the dataset using the ImageNet augmentation policy of AutoAugment **to** optimize brain-tumor classification

performance.
脳腫瘍の分類性能を最適化するために、ディープラーニングネットワークに基づく物体分類アルゴリズムを使用し、AutoAugment の ImageNet 拡張ポリシーを利用してデータセットを拡張した。

Improved Classification of Brain-Tumor MRI Images Through Data Augmentation and Filter Application. *JOURNAL OF ELECTRICAL ENGINEERING & TECHNOLOGY*, 18 (4), pp. 3135-3142, Jul 2023

4.（　a　）を（　b　）した。その後で、（　c　）を行った。
［　a　］was(were)［　b　］, followed by［　c　］.

研究内容

　文の後半に配置する分詞 followed by の後ろに、続いて起こる動作を名詞形で記載します。時間的順序を明示しながら短い表現で手順を説明することができます。

For this study, 575 questionnaires **were** collected, **followed by** the structural equation modeling of the derived data to test the research model.
本研究では、575の質問票を収集し、得られたデータを使った構造方程式モデリングにより研究モデルを検証した。

What factors determine brand communication? A hybrid brand communication model from utilitarian and hedonic perspectives. *FRONTIERS IN PSYCHOLOGY*, 13, Jan 18 2023

The extracted features **are** fed to a cross-flipped decoder, **followed by** a classification head for fault classification.

抽出された特徴量はクロスフリップデコーダーに送られ、続いて故障分類のための分類ヘッドに送られる。

Diagnosisformer: An efficient rolling bearing fault diagnosis method based on improved Transformer. *ENGINEERING APPLICATIONS OF ARTIFICIAL INTELLIGENCE*, 124, Sep 2023

$Ni(OH)_2$ nanosheets **were** formed on nickel foam (NF) substrates using acid etching, **followed by** the longitudinal growth of negatively charged Ti_3C_2Tx-MXene on positively charged $Ni(OH)_2$/NF via electrophoretic deposition.

$Ni(OH)_2$ナノシートを酸エッチングでニッケルフォーム基板上に形成し、続いて電気泳動析出法によって、正電荷を帯びた $Ni(OH)_2$/NF 上に負電荷を帯びた Ti_3C_2Tx-MXene を縦方向に成長させた。

Modulating surface electron density of $Ni(OH)_2$ nanosheets with longitudinal $Ti_3C_2T_x$ MXenenanosheets by Schottky effect toward enhanced hydrogen evolution reaction. *DALTON TRANSACTIONS*, 52 (28), pp. 9721-9730, Jul 18 2023

5. （ **a** ）するために、（ **b** ）を（ **c** ）した。
To ［ **a** ］, ［ **b** ］ is(are)/was(were) ［ **c** ］.

　　To不定詞を文頭に配置して目的を明示し、続けて受動態で何を行ったかを表します。報告として過去形を使うことが可能な一方で、現在形で記載することも可能です。

To clarify which is responsible for plasma enhanced dewetting, the dewetting behavior of 100 nm thick Sn films on silicon substrates with native oxide surface **was** compared between floating and grounded films in the inductively-coupled plasma environment.

プラズマによる水の脱離現象の増大の原因を明らかにするために、自然酸化膜表面を有するシリコン基板上の100nm厚のSn膜の水の脱離挙動を、誘導結合プラズマ環境下での浮遊膜と接地膜の間で比較した。

Comparison of Plasma Effect on Dewetting Kinetics of Sn Films Between Grounded and Floating Substrates. *ELECTRONIC MATERIALS LETTERS*, 16 (1), pp. 72-80, Jan 2020

To extend the application of the resulting carbon cloth in supercapacitor field, a layer of MnO_2 nanosheets **is** deposited on the surface of carbon fiber via in situ redox reaction between carbon and $KMnO_4$.

得られたカーボンクロスをスーパーキャパシタ分野に応用するために、カーボンと$KMnO_4$との酸化還元反応により、カーボンファイバーの表面にMnO_2ナノシートの層を堆積させた。

Application of biomass-derived flexible carbon cloth coated with MnO_2 nanosheets in supercapacitors. *JOURNAL OF POWER SOURCES*, 294, pp. 150-158, OCT 30 2015

研究内容

学生 学校の英語の授業で習った各種表現のうち、英語論文での多用がおすすめでないものと、使ってもよいものがあることがわかりました。例えばit is構文やthere is (are) 構文の使い過ぎがタブーだと知りましたが、逆に「これは使ってよい」というものはありますか。

——良い質問ですね。学校の英語の授業で習っているけれど、忘れていそうで、意外に英語論文で使われている表現に「付帯状況のwith」があります。主語と動詞を使って普通に文章を組み立てたあとで、「そのような状態で」というようにつなげます。分類としては分詞構文の一種なのですが、「一緒に」を表す前置詞withを使うのが特徴です。

学生 学校の英語の授業では「He sat in the classroom with his arms being crossed.（彼は教室で腕を組んで座っていた）」のような例文を覚えています。論文ではどのように使うのですか。

——「文章＋with＋名詞＋分詞」です。「分詞」の部分は、過去分詞（受動の内容）または現在分詞（能動の内容）のいずれも可能です。例を見てみましょう。

付帯状況のwith＋過去分詞

The volume of network and Internet traffic is expanding daily, **with data being created** at the zettabyte to petabyte scale at an exceptionally high rate.

ネットワークやインターネットのトラフィック量は日々増大し、ゼタバイトからペタバイトスケールのデータが非常に高速で作成されている。

A hybrid deep learning model for efficient intrusion detection in big data environment. *INFORMATION SCIENCES*, 513, pp. 386-396, Mar 2020

付帯状況の with + 現在分詞

Autogene cevumeran was administered within 3 days of benchmarked times, was tolerable and induced de novo high-magnitude neoantigen-specific T cells in 8 out of 16 patients, **with half targeting** more than one vaccine neoantigen.

自己遺伝子セブメランは、ベンチマークした時間から3日以内に投与され、忍容性があり、16人中8人の患者でデノボ高次ネオアンチゲン特異的T細胞を誘導し、その半数が複数のワクチンネオアンチゲンを標的とした。

Personalized RNA neoantigen vaccines stimulate T cells in pancreatic cancer. *NATURE*, 618, pp. 144-150, 10 May 2023

学生　with his arms being crossed（腕を組んで）と同じ形ですね。

——付帯状況のwithの使い方のコツは、しっかりと「公式」に当てはめることです。「with + ＿＿＿（名詞）+ 分詞」の形を守りましょう。なお、過去分詞の being created の being は省略することが可能です。

知見の効果的な提示

第**8**章 テンプレート❹
アブストラクト：
結果と考察

8-1 結果の提示

　アブストラクトの山場として、主要な結果を提示します。論文本文の結果（Results）に相応し、結論を導くための重要データのみを、簡潔な表現で淡々と提示します。「〜については、〜であった」、「〜が観察された」などを示しますが、時制は、現在形、過去形、現在完了形が使用でき、普遍化することができた事実を現在形、結果の報告を過去形、現在も効果を生んでいる事象を現在完了形として提示します。本節で例示する表現から、複数を選んで使うことができます。

テンプレート

1.（ **c** ）については、（ **a** ）（ **b** ）である／あった。
For [**c**], [**a**] [**b**].
[**a**] [**b**] for [**c**].

2.（ **c** ）において、（ **a** ）は（ **b** ）である／あった。
In [**c**], [**a**] [**b**].
[**a**] [**b**] in [**c**].

3.（ **b** ）において、（ **a** ）は観察されなかった。

No [**a**] has(have) been/was(were)/is(are) observed
in [**b**].

4.（ **a** ）は、（ **b** ）よりも高い（ **c** ）を示した。

[**a**] showed/exhibited/had a higher [**c**] than
[**b**].

5.（ **a** ）は、（ **b** ）よりも良い（ **c** ）を示した。

[**a**] outperformed [**b**] in/in terms of [**c**].

6.（ **a** ）は、（ **b** ）に比べて（ **c** ）分の改善／増加／減
少が見られた。

[**a**] was improved by [**c**] compared with [**b**].
[**a**] increased/decreased by [**c**] compared with
[**b**].

7. 結果が（ **a** ）と一致した。

The results/Our experimental results agree with/are
consistent with [**a**].

8.（ **a** ）は、（ **b** ）の結果生じた。

[**a**] result(s) from [**b**].
[**b**] result(s) in/lead(s) to/cause(s) [**a**].

結果と考察

1. （ **c** ）については、（ **a** ）（ **b** ）である／あった。
For [**c**], [**a**][**b**].
[**a**][**b**] for [**c**].

「〜に関しては」や「〜については」を、Forを用いた前置詞句で表現します。前置詞句は、文頭または文の後半に配置できます。読み手に注目させたい場合には文頭に配置します。時制は過去形または現在形が可能です。過去形では、「〜であった」という既に行った事象として報告し、現在形では、「論文本文に〜であることが書かれている」と描写します。

For RT-PCR, the PPV ranged from 47.3% to 96.4%, whereas the NPV ranged from 96.8% to 99.9%.

RT-PCR = reverse transcriptase polymerase chain reaction
PPV = positive predictive value　NPV = negative predictive value

逆転写PCR法では、陽性的中率は47.3%〜 96.4%、陰性的中率は96.8%〜 99.9%であった。

Diagnostic Performance of CT and Reverse Transcriptase Polymerase Chain Reaction for Coronavirus Disease 2019: A Meta-Analysis. *RADIOLOGY*, 296 (3), pp. E145-E155, Sep 2020

For higher temperatures (T > 150 K), PL is mostly due to recombination of the donor-bound excitons.

PL = photoluminescence

高温（150 Kを超える）では、フォトルミネセンスは主にドナー束縛励起子の再結合によるものである。

Photoluminescence investigation of the carrier recombination processes in ZnO quantum dots and nanocrystals. *PHYSICAL REVIEW B*, 73 (16), Apr 2006

For hip fracture, the average RLRF was 10% (95% CI, 8%-12%) **for** women and similar to 5% (3%-7%) **for** men; however, the risk was significantly increased by 1.5-fold and 1.3-fold **for** women and men with high PRS, respectively.

RLRF = residual lifetime risk of fracture   PRS = polygenic risk score

股関節骨折の残留寿命リスクは、女性で平均10%（95%信頼区間、8% -12%）、男性で平均約5%（3% -7%）であったが、多遺伝子リスクスコアが高い女性および男性では、リスクは女性1.5倍、男性1.3倍に有意に増加した。

Genetic Prediction of Lifetime Risk of Fracture. *JOURNAL OF CLINICAL ENDOCRINOLOGY & METABOLISM*, https://pubmed. ncbi.nlm.nih.gov/37165700/, May 2023（早期公開）

2.（ c ）において、（ a ）は（ b ）である／あった。

In [c], [a] [b].

[a] [b] in [c].

結果と考察

　前置詞forに代えてinを使います。前置詞forの場合と同様に、文頭または文の後半に配置が可能で、時制は現在形と過去形の両方が使えます。

In the larger size ZnO nanocrystals, the recombination of the acceptor-bound excitons is the dominant contribution to PL only at low temperature

(T < 150 K).

PL = photoluminescence

サイズの大きいZnOナノ結晶では、低温（150K未満）においてのみ、アクセプター束縛励起子の再結合がフォトルミネセンスの主要因となっている。

Photoluminescence investigation of the carrier recombination processes in ZnO quantum dots and nanocrystals. *PHYSICAL REVIEW B*, 73 (16), Apr 2006

Virus was detected **in** a variety of clinical specimens from patients with SARS but not **in** controls.
SARS患者の種々の臨床検体からウイルスが検出されたが、対照群からは検出されなかった。

Identification of a novel coronavirus in patients with severe acute respiratory syndrome. *NEW ENGLAND JOURNAL OF MEDICINE*, 348 (20), pp. 1967-1976, May 15 2003

The TF amplitude was increased by LST stimulation at $\geqq$ 5 Hz **in** the young and $\geqq$ 10 Hz **in** the aged groups.

TF = tetanic force   LST = lumbar sympathetic trunk

腰部交感神経幹の刺激により、強縮力の振幅は、若年群では5Hz以上、高齢群では10Hz以上増加した。

Sympathetic modulation of hindlimb muscle contractility is altered in aged rats. *SCIENTIFIC REPORTS*, 13 (1), May 16 2023

3.（ **b** ）において、（ **a** ）は観察されなかった。
No ［ **a** ］ has(have) been/was(were)/is(are) observed in ［ **b** ］.

現在形、現在完了形、過去形が可能です。

No strong inhomogeneous broadening **has been observed in** ultraviolet PL from ZnO quantum dots.
ZnO量子ドットからの紫外フォトルミネセンスにおいて、強い不均一な広がりは観測されなかった。

Photoluminescence investigation of the carrier recombination processes in ZnO quantum dots and nanocrystals. *PHYSICAL REVIEW B*, 73 (16), Apr 2006

In *in vitro* studies of cerebellar slices, the firing rate of PCs was increased by 50mM EtOH in GAD65-KO compared with WT, whereas **no** difference **was observed in** the effect of EtOH at more than 100 mM between the genotypes.

PC = purkinje cell   WT = wild-type C57BL/6 mice

小脳スライスを用いた試験管内研究では、50mMのEtOHによって、GAD65遺伝子ノックアウトマウスのプルキンエ細胞の発火率が野生型C57BL/6マウスと比較して増加したが、100mMを超えるEtOHの影響については遺伝子型間で差は観察されなかった。

GAD65 deficient mice are susceptible to ethanol-induced impairment of motor coordination and facilitation of cerebellar neuronal firing. *PLOS ONE*, 18 (5), May 22 2023

A capacity retention of 78.61% after 500 cycles at 300 mAg^{-1} was demonstrated in the $(NH_4)_2V_7O_{16}||Li_2SO_4||LiMn_2O_4$ system, whereas **no** capacity attenuation **is observed in** the $(NH_4)_2V_7O_{16}||Na_2SO_4||LiMn_2O_4$ system.

結果と考察

$(NH_4)_2V_7O_{16}||Li_2SO_4||LiMn_2O_4$ 系 で は、300mAg^{-1}で500サイクル後の容量維持率が78.61%であったのに対し、$(NH_4)_2V_7O_{16}||Na_2SO_4||LiMn_2O_4$系では容量減衰は見られなかった。

$(NH_4)_2V_7O_{16}$ Microbricks as a Novel Anode for Aqueous Lithium-Ion Battery with Good Cyclability. *CHEMISTRY-A EUROPEAN JOURNAL*, 27 (48), pp. 12341-12351, Aug 25 2021

4.（ a ）は、（ b ）よりも高い（ c ）を示した。
[a] showed/exhibited/had a higher [c] than [b].

比較級を使って結果を説明します。過去形だけでなく、現在形も可能です。

The prepared LTO/CNT films **showed a higher** charge/discharge capacity **than** the theoretical capacity of the LTO electrode.

LTO = $Li_4Ti_5O_{12}$　CNT = carbon nanotube

作製した$Li_4Ti_5O_{12}$/カーボンナノチューブ膜は、$Li_4Ti_5O_{12}$電極の理論容量よりも高い充放電容量を示した。

Free-Standing $Li_4Ti_5O_{12}$/Carbon Nanotube Electrodes for Flexible Lithium-Ion Batteries. *ENERGIES*, 15 (22), Nov 2022

The Ge/RuO$_2$ nanocomposite **exhibited a higher** capacity retention **than** Ge/GeO$_2$ NPs.

NP = nanoparticle

Ge/RuO$_2$ナノコンポジットは、Ge/GeO$_2$ナノ粒子よりも高い容量保持率を示した。

Exfoliation and Reassembly Routes to a Ge/RuO$_2$ Nanocomposite as an Anode for Advanced Lithium-Ion Batteries. *INTERNATIONAL JOURNAL OF MOLECULAR SCIENCES*, 23 (19), Oct 2022

The system **exhibits a higher** storage success rate **than** existing commercial archival management robotic systems.
本システムでは、既存の商用アーカイブ管理ロボットシステムよりも高い保管成功率を示している。

Target Detection-Based Control Method for Archive Management Robot. *SENSORS*, 23 (11), Jun 2023

5. （ **a** ）は、（ **b** ）よりも良い（ **c** ）を示した。
［ **a** ］outperformed［ **b** ］in/in terms of［ **c** ］.

「～より性能が勝る」を1語で表す動詞outperformが使えます。過去形だけでなく、現在形も可能です。

The proposed models **outperformed** the normal DRL **in** the standard metrics of accuracy, precision, recall, and F1 score.

DRL = Distributional Reinforcement Learning

提案したモデルは、標準的な指標である正解率、適合率、再現率、F1スコアにおいて、通常の分布強化学習よりも良好な結果を示した。

Anomaly Detection in Industrial IoT Using Distributional Reinforcement Learning and Generative Adversarial Networks. *SENSORS*, 22 (21), Nov 2022

結果と考察

Our approach **outperforms** baseline methods **in** simulation evaluation with superior avoidance capabilities against geometric obstacles and non-geometric hazards.

我々のアプローチは、幾何学的障害物や非幾何学的危険に対する優れた回避能力を有し、シミュレーション評価においてベースラインの手法よりも良好な結果を示している。

Learning-Based End-to-End Navigation for Planetary Rovers Considering Non-Geometric Hazards. *IEEE Robotics and Automation Letters*, 8 (7), pp. 4084-4091, May 2023

---

6. （ **a** ）は、（ **b** ）に比べて（ **c** ）分の改善／増加／減少が見られた。

[**a**] was improved by [**c**] compared with [**b**].
[**a**] increased/decreased by [**c**] compared with [**b**].

　改善や増加・減少の度合いである「〜分」を前置詞by で表します。improve（改善する）、increase（増加する）、decrease（減少する）はいずれも自動詞・他動詞の両方での使用が可能ですが、この文脈では、improveを他動詞で使って受動態で表し、increase、deceaseを自動詞で使って能動態で表す表現が多く見られます。

The display stability of EWDs **was improved by** 89.1% **compared with** a driving waveform with a rising gradient.

EWD = electrowetting display

エレクトロウェッティングディスプレイの表示安定性は、立ち上がり勾配を有する駆動波形と比較して89.1%向上した。

A Driving Waveform with a Narrow Falling and High-Voltage Reset Structure for Improving the Stability of Electrowetting Displays. *COATINGS*, 13 (5), May 16 2023

Globally, the prevalence of four heart diseases (RHD, IHD, HHD, and NRVHD) **increased by** 70.5%, 103.5%, 137.9%, and 110.0% **compared with** 1990, respectively.

RHD = Rheumatic heart disease IHD = ischemic heart disease
HHD = hypertensive heart disease
NRVHD = non-rheumatic valvular heart disease

世界全体では、4つの心疾患（RHD、IHD、HHD、NRVHD）の有病率は1990年と比較して、それぞれ70.5%、103.5%、137.9%、110.0%増加した。

The global burden and trends of four major types of heart disease, 1990-2019: a systematic analysis for the Global Burden of Disease Study 2019. *PUBLIC HEALTH*, 220, pp. 1-9, Jul 2023

7. 結果が（ **a** ）と一致した。

The results/Our experimental results agree with/are consistent with［ **a** ］.

「同意する」を表す動詞agreeや「一貫した」を表す形容詞consistentが使えます。加えて、agreeの名詞形agreementを使って、in good agreement with（よく一致する）などと、一致の度合いを併せて表すことも可能です。現在形と過去形が使えます。

結果と考察

173

The results agree with the calculations performed in the matrix models approach.

この結果は、行列モデルのアプローチで行われた計算と一致している。

Torus one-point correlation numbers in minimal Liouville gravity. *JOURNAL OF HIGH ENERGY PHYSICS*, (2), Feb 13 2023

Our experimental results agree with our 3D finite element simulations.

実験結果は3D有限要素シミュレーションと一致している。

A virus-based nanoplasmonic structure as a surface-enhanced Raman biosensor. *BIOSENSORS & BIOELECTRONICS*, 77, pp. 306-314, Mar 15 2016

The results agree with the enzyme-mimic activities that have been experimentally reported for Au, Ag, Pt and predict that Pd should have the similar properties.

今回の結果はAu、Ag、Ptについて実験により報告されている酵素模倣活性と一致しており、Pdも同様の性質を持つことが予想できる。

Mechanism of pH-switchable peroxidase and catalase-like activities of gold, silver, platinum and palladium. *BIOMATERIALS*, 48, pp. 37-44, Apr 2015

These results are consistent with biogenic organic material isolated for billions of years and thermally matured at temperatures of around 500℃.

これらの結果は、数十億年の間隔離され、約500℃の温度で熱成熟した生物起源有機物と一致している。

Elements of Eoarchean life trapped in mineral inclusions. *NATURE*, 548, pp. 78-81, Jul 2017

The calculated **results were in good agreement with** available phase equilibria and thermodynamic data.
計算結果は、入手可能な相平衡および熱力学データとよく一致した。

Thermodynamic Description of the Au-Sb-Sn Ternary System. *METALS*, 13 (6), Jun 2023

8.（ a ）は、（ b ）の結果生じた。
〔 a 〕 result(s) from 〔 b 〕.
〔 b 〕 result(s) in/lead (s) to/cause (s)〔 a 〕.

　自動詞resultを使った簡潔な表現です。結果の描写にも使用が可能です。助動詞を組み合わせると、「〜の結果生じた可能性がある」などと推論として表現できます。result fromとresult inは逆の関係になります。なお、result inのほうは類似表現にlead toとcauseがあります。result inとlead toの後ろには名詞または名詞形（動名詞など）を配置し、間接的な因果関係を表します。

The negative emissions **result from** the export of electricity, compost, and RDF as well as recycling of paper and plastic products.

RDF = refuse derived fuel

結果と考察

175

マイナスの排出は、電力、堆肥、廃棄物固形化燃料の輸出、紙やプラスチック製品のリサイクルによるものである。

Mechanical-biological treatment of municipal solid waste: Case study of 100 TPD Goa plant, India. *JOURNAL OF ENVIRONMENTAL MANAGEMENT*, 292, Aug 15 2021

Unintended negative environmental impacts **may result from** the mass and simultaneous use of diesel generators.
ディーゼル発電機を大量かつ同時に使用することで、意図しない環境への悪影響が生じる可能性がある。

Techno-Economic Feasibility of Off-Grid Renewable Energy Electrification Schemes: A Case Study of an Informal Settlement in Namibia. *ENERGIES*, 15 (12), Jun 2022

The continuous growth of urban areas in the last decades **has resulted in** an increase in water consumption, contributing to larger volumes of urban and domestic wastewater.
過去数十年間における都市部の継続的な成長によって、水の消費量が増加し、都市廃水や生活廃水の量が増加した。

Green walls with recycled filling media to treat greywater. *SCIENCE OF THE TOTAL ENVIRONMENT*, 842, Oct 10 2022

Continuous urban development **leads to** urban heat island effects.
継続的な都市開発は、都市のヒートアイランド現象につながる。

Influence of spatial characteristics of green spaces on microclimate in Suzhou Industrial Park of China. *SCIENTIFIC REPORTS*, 12 (1), Jun 1 2022

The module mismatch (MM) losses and module open circuit (MOC) fault **can cause** the power mismatch between different PV modules.

PV = photovoltaic

モジュールミスマッチ損失とモジュール開回路障害は、異なる太陽電池モジュール間の電力の不一致を引き起こす可能性がある。

Multi-input battery-integrated single-stage DC-DC converter for reliable operation of solar photovoltaic-based systems. *INTERNATIONAL JOURNAL OF CIRCUIT THEORY AND APPLICATIONS*, 51 (1), pp. 243-264, Jun 2023

Tips for Readers
コロンとセミコロンの使い方

学生 アブストラクトで使える、知っておくと便利な句読点はありますか。

——詳細を述べる場面で万能に使える「コロン」があります。あとは「セミコロン」ですが、セミコロンには2つの用法があり、1つ目は、関連する2文をつなぎます。

【詳細を述べるコロン】

Here, we review three application areas: nonvolatile memory, artificial synapses, and neural networks.

ここでは、不揮発性メモリ、人工シナプス、ニューラルネットワークという3つの応用分野について解説する。

Recent progress in transparent memristors. *JOURNAL OF PHYSICS D: APPLIED PHYSICS*, 56 (31), Aug 3 2023

結果と考察

【2文をつなぐセミコロン】

Smart Technology is a quickly and constantly evolving concept; it has different applications that cover a wide range of areas, such as healthcare, education, business, agriculture, and manufacturing.

スマートテクノロジーは、急速に、そして常に進化し続けている概念であり、医療、教育、ビジネス、農業、製造業など幅広い分野で活用されている。

Influential Factors, Enablers, and Barriers to Adopting Smart Technology in Rural Regions: A Literature Review. *SUSTAINABILITY*, 15 (10), May 11 2023

学生 コロンとセミコロンを使うと英文がすっきりしますね。セミコロンには2つ用法があるとのこと、もう1つは何ですか。

——A, B, and Cのように要素を列挙する際に、各要素が長かったり、各要素の中にコンマが入ったりする場合に、コンマに代わって各要素をつなぎます。次のように、長い各要素には通し番号が使われることもあります。詳細を述べるためのコロンも使われていますので、併せて注目してみてください。

【列挙のコンマの代わりに使うセミコロン】

This article presents the first effort of surveying existing MAR frameworks and further discusses the latest studies on MAR through a top-down approach: (1) MAR applications; (2) MAR visualisation techniques adaptive to user mobility and contexts; (3) systematic evaluation of MAR frameworks, including supported platforms and corresponding features such as tracking, feature extraction, and sensing capabilities; and (4) underlying machine learning approaches supporting intelligent operations within MAR systems.

MAR = mobile augmented reality

本論文では、既存のモバイル拡張現実フレームワークを調査した最初の取り組みを紹介し、さらにトップダウンアプローチでモバイル拡張現実に関する最新の研究を議論する。そのアプローチとは、(1) モバイル拡張現実アプリケーション、(2) ユーザーの移動とコンテキストに適応したモバイル拡張現実可視化技術、(3) サポートされているプラットフォームと追跡、特徴抽出、センシング機能などの対応機能を含む MAR フレームワークの体系的評価、(4) モバイル拡張現実システム内の知的操作を支える基礎となる機械学習アプローチである。

Mobile Augmented Reality: User Interfaces, Frameworks, and Intelligence. *ACM COMPUTING SURVEYS*, 55 (9), Sep 2023

学生 コロンで列挙する要素について導入し、その各要素間をセミコロンで区切っていますね。さらに、各要素に丸括弧による通し番号を使っています。長い1文ですが、視覚的に構造がわかりやすくなっています。

結果と考察

　論文の著者が見出した知見、つまり推論を記載します。論文本文の考察（Discussion）に相応し、研究の意義を伝える重要な部分となります。得られた結果を、アブストラクト冒頭の導入で提示した課題に照らし合わせて論じます。見出した知見を明示する一方で、確定的なこととして断定するのが難しい部分でもあるため、著者の考えを伝える次の動詞の意味と、各動詞が表す確信の度合いを正しく理解できると便利です。加えて、得られた結果を普遍化して伝えるために、時制は過去形よりも現在形を中心に使いましょう。

動詞	使える状況
suggest/imply	低めの確信でわかった
indicate/show/demonstrate	高い確信でわかった
reveal/unveil	不明だったことが明らかになった
highlight	今回浮き彫りになった
prove/verify	立証できた
identify	特定できた
seem/appear	そのように思える／見える
conclude	結論づけた

テンプレート

1.（ **a** ）は（ **b** ）であった。このことから（ **c** ）である
と思われる。

[**a**][**b**], suggesting/indicating [**c**].

2. 今回の研究によって、（ **a** ）が（ **b** ）であるとわかった。

Our finding(s)/experiments indicate(s)/
demonstrate(s)/show(s)/prove(s)/verify(ies)/reveal(s)/
unveil(s)/suggest(s)/imply(ies) that [**a**][**b**].

3. 今回の研究によって、（ **a** ）が特定／強調されている。

Our finding(s)/Our experiments/We identify(ies)
[**a**].

Our finding(s)/Our experiments highlight(s) [**a**].

4.（ **a** ）が（ **b** ）であることが確かに示された。

We/These findings show/provide evidence that [**a**]
[**b**].

5.（ **a** ）が（ **b** ）である／となると考えている。

We expect/show/conclude/find that [**a**][**b**].

6.（ **a** ）は（ **b** ）と思われる。

[**a**] seem(s)/appear(s) [**b**:形容詞].

[**a**] seem(s)/appear(s) to [**b**:動詞].

[**a**] is/are likely to [**b**:動詞].

7.（ **a** ）は、（ **b** ）によって説明できる。

[**a**] can be explained by [**b**].

結果と考察

1. （ **a** ）は（ **b** ）であった。このことから（ **c** ）である
と思われる。
[**a**][**b**], suggesting/indicating [**c**].

　得られた結果を1文で記載し、文末に分詞を使って示
唆する内容を追記します。（ **c** ）には、名詞単体、ま
たは主語と動詞を使った文章からなる that 節、のいず
れでも配置できます。that 節内の時制は現在形・過去形
の両方が可能です。なお、この型の文は、2つの文に区切
り、2つ目の文を This suggests/indicates [**c**].と続け
ることも可能です。表す確信の度合いは、suggest のほう
が indicate よりも低くなります。

Tumour CD274 expression is inversely associated
with FOXP3[+] cell density in colorectal cancer tissue,
suggesting a possible influence of CD274-expressing
carcinoma cells on regulatory T cells in the tumour
microenvironment.
腫瘍 CD274 の発現は、結腸直腸癌組織における FOXP3[+]
細胞密度と逆相関関係にある。このことから、CD274 発
現癌細胞が腫瘍微小環境において制御性 T 細胞に影響を与
えると考えられる。

Tumour CD274 (PD-L1) expression and T cells in colorectal
cancer. *GUT*, 66 (8), pp. 1463-1473, Aug 2017

Among ambulatory individuals with DMD, NSAA
score is weakly correlated with HUI utility, **suggesting**

that motor performance alone does not fully explain HRQoL.

DMD = Duchenne muscular dystrophy
NSAA = North Star Ambulatory Assessment
HUI = Health Utilities Index　HRQoL = health-related quality-of-life

デュシェンヌ型筋ジストロフィーの歩行者では、ノース・スター歩行能力評価スコアは健康効用指標の効果との相関が低く、運動能力だけでは健康関連QOLを十分に説明できないことが示唆された。

Development of Amphiphilic Short Peptides to Control Drug Inclusivity through Metal Complexation Reactions. *JOURNAL OF CHEMICAL ENGINEERING OF JAPAN*, 56 (1), Jun 20 2023

The specific capacitance of MnO_2 reaches 683.73 Fg^{-1} at 2 Ag^{-1} and still retains 269.04 Fg^{-1} at 300 Ag^{-1}, **indicating** the excellent rate capacitance performance of the carbon cloth/MnO_2 hybrids.

MnO_2の比静電容量は2Ag^{-1}で683.73 Fg^{-1}に達し、300 Ag^{-1}では269.04 Fg^{-1}を保持しており、このことにより、カーボンクロス/MnO_2ハイブリッドが優れたレート容量性能を有することが示された。

結果と考察

Application of biomass-derived flexible carbon cloth coated with MnO_2 nanosheets in supercapacitors. *JOURNAL OF POWER SOURCES*, 294, pp. 150-158, Oct 30 2015

Seven wells had a WQI of greater than 300, **indicating** that the water was unfit for consumption.

WQI = water quality index

7つの井戸の水質指数は300を超え、飲用に適さないことが示された。

An Integrated GIS and Machine-Learning Technique
for Groundwater Quality Assessment and Prediction
in Southern Saudi Arabia. *WATER*, 15 (13), Jul 2023

2. 今回の研究によって、（ **a** ）が（ **b** ）であるとわかった。

Our finding(s)/experiments indicate(s)/
demonstrate(s)/show(s)/prove(s)/verify(ies)/reveal(s)/
unveil(s)/suggest(s)/imply(ies) that [**a**][**b**].

　確信の度合いを表す各動詞を使います。高い確信の度合いを表す動詞indicate/demonstrate/prove/reveal、低い確信の度合いを表すsuggest/implyなどから選び、的確な推論を表すことが大切です。これらの動詞のあとには「〜が〜であること」を表すthat節を配置します。あるいは、名詞単体を配置することもできます。明確性のため、that節のthatは省略しないで使用します。加えて、that節の中にさらに助動詞を配置することで確信の度合いを微調整することも可能です。

　これらの動詞は現在形で使用するのが最もおすすめです。現在完了形も使うことができます。that節内の動詞は、現在形と過去形が使用可能です。

　主語は、Our/The finding(s)（知見）、Our/This study/work（研究）、Our/The experiment(s)（実験）、Our/The results（結果）以外にも、analysis（分析）、investigation（調査）、evaluation（評価）など自在に変更が可能です。

【indicate】

These findings indicate that artificial water dissipation is an important water vapor source for urban precipitation, particularly during winter months.

本研究により、人工的な水の放散が特に冬季の都市降水において重要な水蒸気源となることがわかった。

Spatiotemporal Evolution of Urban Rain Islands in China under the Conditions of Urbanization and Climate Change. *REMOTE SENSING*, 14 (17), Sep 2022

The results from applying this framework **indicate that** oceans SDG targets are related to all other SDG goals, with two ocean targets (of seven in total) most related across all other SDG goals.

このフレームワークを適用した結果、海洋のSDGs目標はほかのすべてのSDGs目標と関連しており、（合計7つの内）2つの海洋目標が、ほかのすべてのSDGs目標と最も関連していることがわかった。

A rapid assessment of co-benefits and trade-offs among Sustainable Development Goals. *MARINE POLICY*, 93, pp. 223-231, Jul 2018

結果と考察

【demonstrate】

This study demonstrates the potential use of nanocellulose for 3D bioprinting of living tissues and organs.

本研究により、生体組織や臓器の3Dバイオプリンティングにナノセルロースが使用できる可能性があることが示された。

3D Bioprinting Human Chondrocytes with Nanocellulose-Alginate Bioink for Cartilage Tissue Engineering Applications. *BIOMACROMOLECULES*, 16 (5), pp. 1489-1496, May 2015

The findings demonstrate that the dynamic compressive strength of coal at a specified depth is rate-dependent.

この結果により、特定の深さにおける石炭の動的圧縮強度が速度に依存することが示された。

Dynamic compressive failure of coal at different burial depths. *GEOMECHANICS AND GEOPHYSICS FOR GEO-ENERGY AND GEO-RESOURCES*, 9 (1), Dec 2023

In addition, **our work demonstrates that** the learnt features can reliably predict different peptides.

さらに、本研究によると、学習済みの特徴量に基づき種々のペプチドを確実に予測できることがわかった。

PEPred-Suite: improved and robust prediction of therapeutic peptides using adaptive feature representation learning. *BIOINFORMATICS*, 35 (21), pp. 4272-4280, Nov 1 2019

【show】

The results show positive correlation of daily averaged O_3 with air temperature and inversely correlations with relative humidity and precipitation rates.

O_3 = inhalable gaseous pollutants ozone

結果によると、1日平均の吸入性ガス状汚染物質オゾンは気温と正の相関を示し、相対湿度および降水量とは逆相関を示した。

Assessing the relationship between ground levels of ozone (O_3) and nitrogen dioxide (NO_2) with coronavirus (COVID-19) in Milan, Italy.
SCIENCE OF THE TOTAL ENVIRONMENT, 740, Oct 20 2020

The evaluation shows promising results and a solid basis for electrification in remote areas.

この評価では、有望な結果が得られ、遠隔地での電化に向けた確かな基盤が示された。

A DC Microgrid System for Powering Remote Areas.
ENERGIES, 14 (2), Jan 2021

【prove】

The simulation proves that the heterostructure can effectively prevent the failure of the bone implant.

シミュレーションの結果、このヘテロ構造により骨インプラントの失敗を効果的に防げることがわかった。

Controllable three-dimension auxetic structure design strategies based on triply periodic minimal surfaces and the application in hip implant.
VIRTUAL AND PHYSICAL PROTOTYPING, 18 (1), Dec 31 2023

結果と考察

This study proves that TiX_2 is suitable as zinc intercalating anode materials for ZIBs and provides new insights into the DFT investigation of other TMDs as high-performance battery materials.

ZIB = Zn-ion battery　TMD = two-dimensional metal dichalcogenide
DFT = density functional theory

本研究によると、TiX_2 が亜鉛イオン電池の亜鉛インターカレート負極材料として適していることが立証され、高性能電池材料としてのほかの二次元金属ジカルコゲナイドの密度汎関数理論的研究に新たな知見が与えられた。

Unravelling Zn^{2+} Intercalation Mechanism in TiX_2 (X = S, Se) Anodes for Aqueous Zn-Ion Batteries. *ACTA PHYSICO-CHIMICA SINICA*, 39 (8), Aug 15 2023

【verify】

These findings verify that the proposed satellite selection algorithm based on the Sherman–Morrison formula provides autonomous functionality, high-performance computing, and high-accuracy results.

これらの結果から、シャーマン・モリソンの公式に基づき提案した衛星選択アルゴリズムにより、自律的な機能、高性能な計算、高精度の結果が得られることが確認された。

Fast satellite selection algorithm for GNSS multi-system based on Sherman–Morrison formula. *GPS SOLUTIONS*, 27 (1), Jan 2023

The results have verified the feasibility, effectiveness and applicability of the proposed sensing system, theoretical analysis and the algorithm for autonomous pose detection and alignment of the suction modules.

本研究により、提案する検知システムの実行可能性、効果、適用可能性、理論解析、および自律姿勢検出と吸着モジュールの位置合わせについてのアルゴリズムを立証することができた。

Autonomous Pose Detection and Alignment of Suction Modules of a Biped Wall-Climbing Robot. *IEEE/ASME TRANSACTIONS ON MECHATRONICS*, 20 (2), pp. 653-662, Apr 2015

【reveal】

The results reveal that the GnP reinforcement ratio

significantly affects the laser micromachining performance of Al_2O_3 nanocomposites.

GnP = graphene nanoplatelet

その結果、グラフェンナノプレートの強化比が Al_2O_3 ナノコンポジットのレーザー微細加工性能に大きく影響することが明らかになった。

Integrated Intelligent Method Based on Fuzzy Logic for Optimizing Laser Microfabrication Processing of GnPs-Improved Alumina Nanocomposites. *MICROMACHINES*, 14 (4), Apr 2023

【unveil】

These results unveil a new horizon on extending the functionality of the memristor.
これらの結果より、メモリスタの機能拡張に向けた新たな可能性が明らかになった。

Negative Photoconductance Effect: An Extension Function of the TiOx-Based Memristor. *ADVANCED SCIENCE*, 8 (13), Jul 2021

These findings unveil that saturate soil with water may play a positive role in reducing potential risk of *Salmonella* and ARGs in the farmland environment.

ARG = antibiotic resistance gene

今回の知見によると、水分飽和土は、農地環境におけるサルモネラ菌や抗生物質耐性遺伝子の潜在的なリスクを低減する上で肯定的な役割を果たす可能性があることが明らかになった。

Persistence of *Salmonella* Typhimurium and antibiotic resistance genes in different types of soil influenced by flooding and soil properties. *ECOTOXICOLOGY AND ENVIRONMENTAL SAFETY*, 248, Dec 15 2022

結果と考察

【suggest】

This work suggests that polysaccharides from natural herbs can be incorporated into nanocomposites with immunoregulatory characteristics for enhanced efficacy on tumor therapy.

本研究により、天然ハーブ由来の多糖類を免疫調節薬の特徴を有するナノコンポジットに含めることで腫瘍治療の効能が高まる可能性が出てきた。

Effective cancer immunotherapy by *Ganoderma lucidum* polysaccharide-gold nanocomposites through dendritic cell activation and memory T cell response. *CARBOHYDRATE POLYMERS*, 205, pp. 192-202, Feb 1 2019

Our analysis suggests that governments should promulgate policies that are conducive to corporate financing to help companies maintain development during the outbreak of the epidemic and ensure economic sustainability.

今回の分析から、企業が伝染病の流行中も発展を維持し、経済の持続可能性を確保できるよう、政府が企業の資金調達に資する政策を打ち出すべきであることが示唆された。

The Impact and Mechanism of the COVID-19 Pandemic on Corporate Financing: Evidence from Listed Companies in China. *SUSTAINABILITY*, 15 (2), Jan 2023

【imply】

The results imply that an OWT can respond quickly to sudden changes of the inflow wind conditions to maximize total power generation.

OWT = offshore wind turbine

この結果によると、洋上風力タービンが流入風の急激な変化に素早く対応し、総発電量を最大化できることが示唆されている。

Jointly improving energy efficiency and smoothing power oscillations of integrated offshore wind and photovoltaic power: a deep reinforcement learning approach. *PROTECTION AND CONTROL OF MODERN POWER SYSTEMS*, 8 (1), Dec 2023

The results imply that noninvasive DMF-stimulated NPs can regulate intracellular Ca^{2+} influx and enhance neuron differentiation and neuroregeneration rate.

DMF = dynamic magnetic field   NP = nanoparticle

この結果は、非侵襲的な動的磁場刺激ナノ粒子が細胞内 Ca^{2+} の流入を制御し、ニューロンの分化と神経再生率を高めることを示唆している。

Bioactive superparamagnetic iron oxide-gold nanoparticles regulated by a dynamic magnetic field induce neuronal Ca^{2+} influx and differentiation. *BIOACTIVE MATERIALS*, 26, pp. 478-489, Aug 2023

結果と考察

---

3. 今回の研究によって、（ **a** ）が特定／強調されている。
Our finding(s)/Our experiments/We identify(ies)［ **a** ］.
Our finding(s)/Our experiments highlight(s)［ **a** ］.

確信の度合いを表すそのほかの動詞に identify（特定する）や highlight（浮き彫りにする）があります。identify の後ろには主語と動詞を使った that 節が使えず、名詞単

体を配置するか、または identify A as B で「A を B とし
て特定する」という形で使用します。highlight は、後ろ
に that 節または名詞を配置することができますが、名詞
を配置する文脈のほうが多く見られます。

【identify】

We identify a number of research gaps to those three
pillars, social, economic, and environmental
perspectives, of sustainable development.
持続可能な開発の3つの柱である社会、経済、環境の観点
について、多くのリサーチギャップが存在していることを
明らかにした。

Information and Communications Technologies for Sustainable Development
Goals: State-of-the-Art, Needs and Perspectives. *IEEE COMMUNICATIONS
SURVEYS AND TUTORIALS*, 20 (3) , pp. 2389-2406, 2018

These results identify nsp1, nsp15, and nsp16 as
virulence factors that contribute to the development
of PEDV-induced diarrhea in swine.

PEDV = porcine epidemic diarrhea virus

これらの結果から、nsp1、nsp15、およびnsp16が、豚流
行性下痢ウイルスによる豚の下痢発症に寄与する病原因子
であると特定された。

Inactivating Three Interferon Antagonists Attenuates
Pathogenesis of an Enteric Coronavirus. *JOURNAL OF
VIROLOGY*, 94 (17), Sep 2020

【highlight】

Our findings highlight the high performance and compelling cycling stability of $(Li_2Fe)SeO$ as cathode material in lithium-ion batteries.

この結果により、リチウムイオン電池の正極材料として、$(Li_2Fe)SeO$ が高い性能と優れたサイクル安定性を有することがわかった。

Lithium-rich antiperovskite (Li_2Fe) SeO: A high-performance cathode material for lithium-ion batteries. *JOURNAL OF POWER SOURCES*, 558, Feb 28 2023

Our findings highlight the need for cloud-based artificial intelligence technology tailored to robustly and accurately predict battery failure in real-world applications.

この結果によると、現実世界の用途において電池の故障を堅牢かつ正確に予測するよう調整した、クラウドベースの人工知能技術が必要であることが強調されている。

Data-driven prediction of battery failure for electric vehicles. *ISCIENCE*, 25 (4), Apr 15 2022

The results highlight that changes in species dominance play an important role in regulating N_2O emissions, and **that** the N_2O fluxes in the nongrowing season account for a large proportion of the changes in N_2O fluxes.

今回の結果によると、生物の優占種が変わることが亜酸化窒素（N_2O）の排出量の制御において中心的な役割を果たしていること、さらには、N_2O のフラックスの変化の大部

結果と考察

分が非成長期のN$_2$Oフラックスであることが浮き彫りになった。

Opposite response of N$_2$O emissions in different seasons to warming and precipitation addition on a temperate steppe. *ECOSPHERE*, 14 (6), Jun 2023

4.（ a ）が（ b ）であることが確かに示された。

We/These findings show/provide evidence that ［ **a** ］ ［ **b** ］.

　高い確信を伝える表現です。Weまたは無生物を主語にして、平易な動詞showまたはprovideを使ってevidence（証拠）を示します。

We show evidence that the host Th2 response to intestinal nematodes, as well as host and parasite metabolic pathways are robust and remain unimpaired by host microbiota abrogation.
我々は、腸管線虫に対する宿主のTh2反応および宿主と寄生虫の代謝経路は頑健であり、宿主の微生物叢の破壊によって損なわれることはないという証拠を示した。

Th2 and metabolic responses to nematodes are independent of prolonged host microbiota abrogation. *PARASITE IMMUNOLOGY*, 45 (4), Apr 2023

These findings provide evidence that BM-MSCs might serve as an excellent candidate for generating bioengineered corneal epithelium and provide a new strategy for the treatment of clinical corneal damage.

BM-MSC = bone marrow mesenchymal stem cell

これらの知見は、骨髄の間葉系幹細胞がバイオエンジニアリング角膜上皮の優れた候補となり、臨床角膜障害の治療において新たな戦略を提供する可能性があることを示す証拠となる。

Pax6-Induced Proliferation and Differentiation of Bone Marrow Mesenchymal Stem Cells Into Limbal Epithelial Stem Cells. *STEM CELLS AND DEVELOPMENT*, 32 (13-14), pp. 410-421, Jul 1 2023

5.（ a ）が（ b ）である／となると考えている。
We expect/show/conclude/find that [a][b].

著者Weを主語にした能動態で「〜が期待される」や「〜と考える」を表すことができます。動詞expectで「期待している」、showで「示している」、concludeで「結論付けている」、findで「見出している」を表します。

結果と考察

【expect】

We expect that the use of transition-metal nanoparticles to enhance surface electrochemical reactivity will lead to further improvements in the performance of lithium-ion batteries.
遷移金属ナノ粒子を使って表面の電気化学反応性を高めることにより、リチウムイオン電池の性能が改善できると期待している。

Nano-sized transition-metal oxides as negative-electrode materials for lithium-ion batteries. *NATURE*, 407 (6803), pp. 496-499, Sep 28 2000

We expect that acoustic holograms will enable new capabilities in beam-steering and the contactless transfer of power, improve medical imaging, and drive new applications of ultrasound.

音響ホログラムによって、ビームステアリングや非接触電力伝送における新たな機能が実現され、医療用画像が改善され、超音波の新たな応用が促進されることを期待している。

Holograms for acoustics. *NATURE*, 537 (7621), pp.518-522, Sep 22 2016

【conclude】

We conclude that sustainable hydropower potential in complex basins such as the Indus goes far beyond the hydrological boundary conditions.

インダス川のような複雑な流域における持続可能な水力発電の可能性は、水文学的な境界条件をはるかに超えていると結論付けることができる。

A systematic framework for the assessment of sustainable hydropower potential in a river basin - The case of the upper Indus. *SCIENCE OF THE TOTAL ENVIRONMENT*, 786, Sep 10 2021

【show, find】

We show that our approach outperforms compartmental models when applied to both simulated and real data.

本手法は、シミュレーションデータと実データの両方に適用した場合において、区画モデルよりも性能が上回ること

がわかった。

SPADE4: Sparsity and Delay Embedding Based Forecasting of Epidemics.
BULLETIN OF MATHEMATICAL BIOLOGY, 85 (8), Aug 2023

We find that hydrogen inhomogeneities have a larger impact on indirect noise than methane inhomogeneities.
水素の非均質性は、メタンの非均質性よりも間接ノイズに与える影響が大きいことがわかった。

Indirect noise from weakly reacting inhomogeneities.
JOURNAL OF FLUID MECHANICS, 965, Jun 15 2023

6.（ a ）は（ b ）と思われる。
［ **a** ］seem(s)/appear(s)［**b：形容詞**］.
［ **a** ］seem(s)/appear(s) to［**b：動詞**］.
［ **a** ］is/are likely to［**b：動詞**］.

　動詞seemは著者にとってそのように思えること、appearは著者を含めた周りにそのように見えていることを表します。likelyは起こり得る可能性があることを表します。

In comparison with overcharge, the aging induced by over-discharge **seems to** decline the safety of cells more.
過充電に比べ、過放電による経年劣化によって電池の安全性がより低下すると考えられる。

Investigation on topographic, electrochemical and thermal features of aging lithium-ion cells induced by overcharge/over-discharge cycling. *JOURNAL OF ENERGY STORAGE*, 68, Sep 15 2023

結果と考察

The proposed contrast-free imaging protocol **appears to** be a promising clinical tool for pre-TAVI evaluation in patients with severe renal dysfunction.

TAVI = transcatheter aortic valve implantation

提案された造影剤を使用しない画像診断プロトコルは、重度の腎機能障害を有する患者の経カテーテル大動脈弁置換術前評価のための有望な臨床ツールであると思われる。

Zero-contrast imaging for the assessment of transcatheter aortic valve implantation in candidates with renal dysfunction. *RENAL FAILURE*, 45 (1), Dec 31 2023

Si@Si$_3$N$_4$@rGO composites **are likely to** have great potential for a high-performance anode in lithium-ion batteries.

Si@Si$_3$N$_4$@rGO複合材料は、リチウムイオン電池の高性能負極として大きな潜在性を秘めている可能性がある。

Silicon nanoparticles encapsulated in Si$_3$N$_4$/carbon sheaths as an anode material for lithium-ion batteries. *NANOTECHNOLOGY*, 34 (25), Jun 18 2023

7. （ **a** ）は、（ **b** ）によって説明できる。
[**a**] can be explained by [**b**].

explain は「説明する」という動詞ですが、ここでは受動態で、「〜によって説明付けられる」という意味で使用します。

Such regional difference **can be** partly **explained by** the difference in the geographical location and

urbanization progress.
このような地域差は、地理的位置や都市化の進展の違いに
よって一部説明できる。

Impact of urban heat island on daily and sub-daily monsoon rainfall variabilities in East Asian megacities. *CLIMATE DYNAMICS*, 61 (1-2), pp. 19-32, Jul 2023

This field-switchable photovoltaic effect **can be explained by** the formation of reversible p-i-n structures induced by ion drift in the perovskite layer.
この電界切り替え可能な光起電力効果は、ペロブスカイト
層におけるイオンドリフトによって引き起こされる可逆的
なp-i-n構造の形成によって説明することができる。

Giant switchable photovoltaic effect in organometal trihalide perovskite devices. *NATURE MATERIALS*, 14 (2), pp. 193-198, Feb 2015

Tips for Readers
助動詞で表す著者の確信の度合い

結果と考察

学生 「考えられる」の表し方がわかってきました。Data suggests... やOur experiments demonstrate... を活用するのですね。これ以外には論文著者の「気持ち」を表す表現はありますか。
──現在形で言い切る表現を書けるようになったら、次は自在に「気持ち」や「考え」を加えられるとよいですね。これまでの例文にも出てきている身近な文法事項が使えます。「動詞を助ける」と書く「助動詞」です。動詞で言い切る表現に対してぼやかしのフィルターをかけるような役割を果たします。can と may が使いやすい助動詞で、ほかにも must, should, will があります。

【can】

Addition of biochar at the optimum level in rice **can** reduce cumulative methane emission up to 60%.

最適量のバイオ炭をイネに添加することで、累積メタン排出量を最大60%削減できる。

Biochar for environmental sustainability in the energy-water-agroecosystem nexus. *RENEWABLE & SUSTAINABLE ENERGY REVIEWS*, 149, Oct 2021

The proposed model **can** accurately detect feature points in high-noise environments while meeting real-time welding requirements.

提案したモデルでは、リアルタイムに溶接の要件を満たしながら、高ノイズ環境で特徴点を正確に検出することができる。

YOLO-Weld: A Modified YOLOv5-Based Weld Feature Detection Network for Extreme Weld Noise. *SENSORS*, 23 (12), Jun 2023

学生 can は結論の部分や、研究でわかったことを表すのに使われていますね。比較的高い可能性を表すのでしょうか。

——can は可能性の高さでいうと低いほうですが、確実に可能性があることを客観的に表すため、結論や研究の示唆を示す際にほかの助動詞と比べて比較的多く使われます。なお、研究の示唆で can よりも確信の度合いが低い場合には、may が使われます。

【may】

The proposed system therefore **may** assist physicians

in the clinical evaluation of the CVD severity and rehabilitation effect on CPF in the future.

CVD = cardiovascular disease　CPF = cardiopulmonary function

本システムは、将来的に、心血管疾患の重症度や、心肺機能に対するリハビリの効果を医師が臨床的に評価する際に役立つと考えられる。

Design of Smart Brain Oxygenation Monitoring System for Estimating Cardiovascular Disease Severity. *IEEE ACCESS*, 8, pp. 98422-98429, 2020

This method **may** increase the effectiveness of additive manufacturing.

この方法によると、積層造形の効果を高められる可能性がある。

Optimization of additive manufacturing by vacuum infusion method. *JOURNAL OF THE FACULTY OF ENGINEERING AND ARCHITECTURE OF GAZI UNIVERSITY*, 38 (4), pp. 2451-2463, 2023

This materiomics method **may** ultimately change the way nanomaterials are designed, and can be applied to de novo biomaterial design, architected materials, and bioinspired structural materials.

このマテリオミクス手法は、最終的にはナノ材料の設計方法を変える可能性があり、デノボバイオマテリアル設計、アーキテクト材料、バイオインスパイア構造材料に応用できる。

Tuning Mechanical Properties in Polycrystalline Solids Using a Deep Generative Framework. *ADVANCED ENGINEERING MATERIALS*, 23 (4), Apr 2021

学生　例えば新規性が高く、まだはっきりと言い切れないような可能性に対してmayを使うと理解しました。ほか

結果と考察

の助動詞についても教えてください。

――mustは著者の主観が強く表れます。「そうにちがいない」という意見として表されます。shouldは「～でしょう」というmustよりも弱い確信、willは「そうである」というように言い切るのと同様の確信が表されます。

【must】

At the same time, the chosen features **must** have a high correlation with the risk of fire occurrence.
同時に、選択された特性は、火災発生のリスクと高い相関性を有するであろう。

Efficient forest fire occurrence prediction for developing countries using two weather parameters. ENGINEERING APPLICATIONS OF ARTIFICIAL INTELLIGENCE, 24 (5), pp. 888-894, Aug 2011

【should】

In summary, the contact-position control method **should** provide new capabilities on real machine surfaces where unexpected damage occurs.
まとめると、予期せぬ損傷が発生する実際の機械表面において、接触位置制御法が新たな能力を提供するであろう。

Novel friction stabilization technology for surface damage conditions using machine learning. *TRIBOLOGY INTERNATIONAL*, 180, Feb 2023

【will】

Success **will** require leadership from the United Nations, innovation from National Statistical Offices and focus from the citizen-science community to identify the indicators for which citizen science can

make a real contribution.
成功のためには、国連のリーダーシップ、国家統計局による改革、そして市民科学が真に貢献できる指標を特定するための市民科学コミュニティによる注力が必要となる。

Citizen science and the United Nations Sustainable Development Goals. *NATURE SUSTAINABILITY*, 2 (10), pp. 922-930, Oct 2019

学生　面白いですね。canを中心に使い、まだ新規で自信がない場合にはmay、主観を表したい場合にはmust、弱く主観を表したければshould、言い切るのと同様の強い確信にはwillを使ってみます。

――自在に使いこなしてください。最後に、助動詞はあくまで断定的な事実として言い表せない場合にのみ使いますので、使い過ぎにはご注意ください。

結果と考察

8-3 研究の示唆・今後

　研究から得られた知見が、当該分野にどのような影響（インパクト）をもたらすかを説明する研究の示唆（Research Implications）は、研究分野における提案を行う重要な部分です。示唆や今後の見通しについて、possibility（可能性）、promise（将来性）、potential（潜在性）、insight（見通し）、implication（含意）といった単語を含む定番表現を使うことができます。さらには、動詞enable（可能にする）を使って、得られた知見によって、この先何が可能になるかをポジティブに明示するのもおすすめです。研究の示唆に加えて、今後の予定も併せて記載できます。

> ### テンプレート

1. （ a ）により、（ b ）が（ c ）する／（ c ）の可能性が高まった／示唆された。

［ **a** ］raise(s)/suggest(s) the possibility that ［ **b** ］
［ **c** ］.

［ **a** ］raise(s)/suggest(s) the possibility of ［ **c** ］.

［ **a** ］raise(s)/suggest(s) the possibility to ［ **c** ］.

2. （ a ）は（ b ）に応用できる／有益である可能性がある。

［ **a** ］may be applicable/useful for ［ **b** ］.

3. (**a**) は、(**b**) できることが見込まれる。

[**a**] hold(s) promise to [**b**].

[**a**] promise(s) [**b**].

4. (**a**) は、(**b**) における可能性を秘めている／
(**a**) により、(**b**) のための道筋ができた。

[**a**] offer(s)/has(have) potential in/to [**b**].

[**a**] provide(s)/create(s) a route for/to [**b**].

5. 本研究により、(**a**) に新しい考えがもたらされた。

Our study provides insights into [**a**].

6. 本研究により、(**b**) への (**a**) な示唆がもたらされた。

This study offers [**a**] implications for/to [**b**].

7. (**a**) によって、(**b**) が可能になる。

[**a**] enable(s)/allow(s)/will enable/allow [**b**].

8. (**a**) を今後さらに調査していく必要がある。

[**a**] need(s) further attention/investigation/
research.

結果と考察

205

[**a**] raise(s)/suggest(s) the possibility that [**b**]
[**c**].
[**a**] raise(s)/suggest(s) the possibility of [**c**].
[**a**] raise(s)/suggest(s) the possibility to [**c**].

「可能性が出てきた」という文脈において、その可能性が高い場合にはraise the possibility、低い場合にはsuggest the possibilityと表します。possibilityの後にはthat節を使って主語と動詞を配置する、ofの後に名詞または動名詞を配置する、toの後に動詞の原形を配置する、のいずれでも可能です。

This **raises the possibility that** Nsp1 may trigger RNA degradation through pathways that recognize stalled ribosomes.
これにより、停滞したリボソームを認識する経路を通じてNsp1がRNA分解を引き起こす可能性が高まった。

SARS-CoV-2 Nsp1 mediated mRNA degradation requires mRNA interaction with the ribosome. *RNA BIOLOGY*, 20 (1), pp. 444-456, Dec 31 2023

Our work **raises the possibility to** use LIT for general screening surveillance before further costly specialized equipment is applied for cancer diagnosis.

LIT = Leukocyte ImmuneTest

本研究によって、がん診断のために高額な専門機器を使用

する前に、一般的なスクリーニング検査として白血球免疫
検査を実施する可能性が高まった。

Predictive value of Leukocyte ImmunoTest (LIT™) in cancer patients: a prospective cohort study. *FRONTIERS IN ONCOLOGY*, 12, Aug 1 2022

The extraction of multiple features from the images **raises the possibility of** a correlation between features which reduce classification accuracy.
画像から複数の特徴を抽出すると、特徴間に相関が生じて
分類精度が低下する可能性が高まった。

Effective supervised multiple-feature learning for fused radar and optical data classification. *IET RADAR, SONAR AND NAVIGATION*, 11 (5), pp. 768-777, May 2017

Collectively, this exploratory research **suggests the possibility that** AI newscasters can be incorporated to the news broadcasting industry when human resources are limited.
まとめると、この探索的研究により、人的資源が限られて
いるニュース放送業界にAIニュースキャスターを組み込
める可能性が示唆されている。

Man vs. machine: Human responses to an AI newscaster and the role of social presence. *THE SOCIAL SCIENCE JOURNAL*, doi: 10.1080/03623319.2022.2027163, Jan 2022

結果と考察

This finding **suggests the possibility of** implementing AI-based techniques for multi-criteria ABC analysis in enterprise resource planning (ERP) systems.
今回の研究により、AIを用いた多基準ABC分析の手法を
企業資源計画システムに導入できる可能性が出てきた。

Multi-criteria ABC analysis using artificial-intelligence-based classification techniques. *EXPERT SYSTEMS WITH APPLICATIONS*, 38 (4), pp. 3416-3421, Apr 2011

Accordingly, our work **suggests the possibility to** design data-driven therapies to emphasize the differences observed among the patients.

したがって、今回の研究により、患者間の違いを重視したデータ駆動型の治療法を設計する可能性が示唆されている。

A Roadmap towards Breast Cancer Therapies Supported by Explainable Artificial Intelligence. *APPLIED SCIENCES*, 11 (11), Jun 2021

2.（ **a** ）は（ **b** ）に応用できる／有益である可能性がある。

［ **a** ］may be applicable/useful for［ **b** ］.

形容詞applicableまたはusefulを使って利用可能性を示します。「applicable for 動詞ing」のほかに、「applicable to 名詞」もあります。助動詞は、may以外にもcanなども可能です。

Machine learning based on genomic variety **may be applicable for** estimating an individual's susceptibility for developing NASH among high-risk groups with a high degree of accuracy, precision, and sensitivity.

NASH = nonalcoholic steatohepatitis

ゲノム多様性に基づく機械学習は、高リスク群における個人の非アルコール性脂肪性肝炎発症に対する感受性を、高精度、高感度で推定することに応用できる可能性がある。

A machine-learning approach for nonalcoholic
steatohepatitis susceptibility estimation.
INDIAN JOURNAL OF GASTROENTEROLOGY,
41 (5), pp. 475-482, Oct 2022

The construction of heterostructures for improving the electrochemical performance **can also be applicable to** other battery material fields.

電気化学的性能を向上させるためのヘテロ構造の構築は、ほかの電池材料分野にも応用可能である。

Construction of MoS$_2$-ZnS@C Heterostructures by Multiple Organic
Framework Combination for Fast and Stable Sodium/Potassium Storage.
ACS APPLIED ENERGY MATERIALS, 6 (5), pp. 3081-3092, Mar 13 2023

This method may be useful for places where face-to-face classes are suspended due to the COVID-19 pandemic.

本方法はコロナ禍で対面授業を休止している場所において有益である可能性がある。

Zooming past the coronavirus lockdown: online spirometry
practical demonstration with student involvement in analysis by
remote control. *ADVANCES IN PHYSIOLOGY EDUCATION*, 44
(4), pp. 516-519, Dec 2020

結果と考察

3. （ a ） は、（ b ） であることが見込まれる。

[**a**] holds promise to [**b**].

[**a**] promise(s) [**b**].

「将来性」を表す名詞または「約束する」を表す動詞であるpromiseを使って「有望であること」を表します。

This approach **holds** great **promise to** achieve low-cost, green and industrial-grade production of renewable biomass-derived carbon materials for advanced energy storage applications in the future.

本手法によると、将来の高度なエネルギー貯蔵の用途のために、再生可能バイオマス由来の炭素材料を生産できる、低コストで環境にやさしく、工業レベルで生産できることが大いに見込まれる。

Three-dimensional high graphitic porous biomass carbon from dandelion flower activated by K_2FeO_4 for supercapacitor electrode. *JOURNAL OF ENERGY STORAGE*, 52, Aug 15 2022

Such photonic neurosynaptic networks **promise** access to the high speed and high bandwidth inherent to optical systems, thus enabling the direct processing of optical telecommunication and visual data.

こうしたフォトニック神経シナプスネットワークは、光システム特有の高速・広帯域を特徴とするため、光通信と視覚データの直接処理が実現できることが見込まれる。

All-optical spiking neurosynaptic networks with self-learning capabilities. *NATURE*, 569 (7755), pp. 208-214, May 9 2019

4.（ **a** ）は、（ **b** ）における可能性を秘めている／（ **a** ）により、（ **b** ）のための道筋ができた。

[**a**] offer(s)/has(have) potential in/to [**b**].

[**a**] provide(s)/create(s) a route for/to [**b**].

potential（可能性）を有する・提供することやroute（道筋）を提供することを表します。

TV-PV-EDR **has the potential to** provide a mechanism through which more energy-efficient, higher recovery desalination for agriculture can be achieved.

TV-PV-EDR = time-variant photovoltaic-powered electrodialysis reversal

継時的に変化する太陽光発電による極性転換式電気透析は、よりエネルギー効率が高く、回収率の高い農業用海水淡水化を実現するメカニズムを提供する可能性がある。

Feasibility and design of solar-powered electrodialysis reversal desalination systems for agricultural applications in the Middle East and North Africa. *DESALINATION*, 561, Sep 1 2023

Fostering increased resilient pattern development **has the potential to** improve health outcomes, well-being, and quality of life across the spectrum.
回復力のパターン開発を促進することにより、健康状態、幸福度、生活の質を改善できる可能性がある。

The lived experience and meaning of resilience in the setting of chronic illness and low- resource communities of African Americans that reside in Tallahatchie County. Mississippi. *INTERNATIONAL JOURNAL OF QUALITATIVE STUDIES ON HEALTH AND WELL-BEING*, 18 (1), Dec 31 2023

This work **provides a route for** the design of high-performance Cu electrodes in aqueous rechargeable batteries.
本研究によって、水系二次電池における高性能Cu電極の設計に関する道筋が示された。

結果と考察

A Lattice-Matching Strategy for Highly Reversible Copper-Metal Anodes in Aqueous Batteries. *ANGEWANDTE CHEMIE-INTERNATIONAL EDITION*, 61 (32), Aug 8 2022

This catalytic strategy **creates a route for** transforming abundant renewable biomass resources into a liquid fuel suitable for the transportation sector, and may diminish our reliance on petroleum.

今回の触媒戦略によって豊富な再生可能バイオマス資源を輸送部門に適した液体燃料に変換する道筋が示され、石油への依存度を低下させる可能性がある。

Production of dimethylfuran for liquid fuels from biomass-derived carbohydrates. *NATURE*, 447 (7147), pp. 982-985, Jun 21 2007

---

5. 本研究により、（ **a** ）に新しい考えがもたらされた。

Our study provides insights into〔 **a** 〕.

研究がinsight（洞察）を提供することを表します。主語はOur study以外にもworkなど、自在に変更が可能です。

Our study provides insights into the mechanism by which intestinal VDR dysfunction and gut dysbiosis lead to a high risk of extraintestinal tumorigenesis.

VDR = vitamin D receptor

本研究によって、腸管ビタミンD受容体の機能不全と腸内細菌叢の異常が腸管外腫瘍の高リスク化につながるメカニズムについての知見が提供された。

Intestinal vitamin D receptor protects against extraintestinal breast cancer tumorigenesis. *GUT MICROBES*, 15 (1), Dec 31 2023

This study provides insights into the consequences of unplanned urban development challenges and may inform research and policymaking on sustainable urban development in the area and beyond.

本研究によって、無計画な都市開発の課題がもたらす結果についての洞察が提供された。この地域および他の地域でも、持続可能な都市開発に関する研究および政策立案に役立つだろう。

Stakeholder perspectives on farmers' resistance towards urban land-use changes in Bahir Dar, Ethiopia. *JOURNAL OF LAND USE SCIENCE*, 18 (1), pp. 25-38, Dec 31 2023

6. 本研究により、（ **b** ）への（ **a** ）な示唆がもたらされた。

This study offers［ **a** ］implications for/to［ **b** ］.

implication（含意）という名詞を使って研究の示唆を伝えます。implicationsは複数形とし、前置詞forやtoの後ろに動名詞や名詞を配置します。

The study offers practical **implications to** EFL teachers, trainers, principals, and researchers by increasing their knowledge and abilities in managing psycho-emotional mechanisms and factors and enriching interpersonal aspects of EFL education.

EFL = English as a foreign language

結果と考察

本研究は英語を母国語としない人のための英語（EFL）教師、トレーナー、校長、研究者に対し、心理・情動のメカニズムや要因を管理し、EFL教育の対人的側面を充実させるための知識と能力を高めることにより、実用的な示唆を与える。

A theoretical review on the role of positive emotional classroom rapport in preventing EFL students' shame: A control-value theory perspective. *FRONTIERS IN PSYCHOLOGY*, Dec 13 2022

This research offers important **implications for** teaching practice on the designing of e-learning activities.
この研究は、eラーニング活動の設計に関する教育実践に重要な示唆を与えるものである。

Students apprehension and affective inertia in a Twitter-based activity: Evidence form students of an economics degree. *THE INTERNATIONAL JOURNAL OF MANAGEMENT EDUCATION*, 20 (3), Nov 2022

7. （　a　）によって、（　b　）が可能になる。
[　a　] enable(s)/allow(s)/will enable/allow [　b　].

　動詞enableまたはallowの後ろには動作を表す名詞を配置します。「〜が〜することが可能になる」と表したい場合にはenable +「人や物」+ to +「動詞」とします。時制は現在形、または助動詞willやmayを使うことも可能です。enableは、allowよりもポジティブな印象が強くなります。

In addition, this work **enables** the autonomous operation of SPV system during grid disruption, enhancing power resilience.

SPV = solar photovoltaic

加えて、この研究によると、送電網が寸断されている間、太陽光発電システムの自律運転が可能となり、電力回復力を高めることができる。

F-LMS Adaptive Filter Based Control Algorithm With Power Management Strategy for Grid Integrated Rooftop SPV-BES System. *IEEE TRANSACTIONS ON SUSTAINABLE ENERGY*, 14 (2), pp. 987-999, Apr 2023

The narrative synthesis approach **will enable** the integration of findings to provide new insights on service delivery.

ナラティブシンセシスアプローチによって、研究結果を統合し、サービス提供に関する新たな洞察を提協することが可能になる。

An evaluation of service user experience, clinical outcomes and service use associated with urgent care services that utilise telephone-based digital triage: a systematic review protocol. *SYSTEMATIC REVIEWS*, 10 (1), Jan 13 2021

結果と考察

A comprehensive understanding of different sialorrhoea management approaches **will enable** healthcare professionals **to** identify the signs and symptoms regarding sialorrhoea, and to assist in effective management implementation.

種々の流涎症管理アプローチを包括的に理解することで、医療従事者は流涎症に関する徴候や症状を特定し、効果的な管理の実施を支援することができる。

A systematic review of noninvasive and invasive sialorrhoea management. *JOURNAL OF CLINICAL NURSING*, 28 (23-24), Dec 2019

This objective fatigue monitoring method **may enable** clinicians **to** effectively handle fatigue problems.
この客観的な疲労モニタリング法によって、臨床医が疲労問題に効果的に対処できるようになる可能性が出てきた。

Cancer-related fatigue classification based on heart rate variability signals from wearables. *FRONTIERS IN MEDICINE*, 10, Apr 26 2023

The non-covalent bonds **allow** the extrusion of the inks into support gels to directly write structures continuously in 3D space.
非共有結合により、インクの支持ゲル中への押し出しが可能になり、三次元空間に連続的に構造を直接描けるようになる。

Direct 3D Printing of Shear-Thinning Hydrogels into Self-Healing Hydrogels. *ADVANCED MATERIALS*, 27 (34), pp. 5075-5079, Sep 9 2015

These print speeds **allow** parts **to** be produced in minutes instead of hours.
このような印刷速度により、部品が数時間ではなく数分で製造できるようになる。

Continuous liquid interface production of 3D objects. *SCIENCE*, 347 (6228), pp. 1349-1352, Mar 20 2015

Identifying phenotypic traits and factors associated with high rAHI variability **will allow** early intervention and the development of personalized follow-up pathways for CPAP treatment.

rAHI = residual apnea-hypopnea index

残存無呼吸低呼吸指数高変動に関連する表現型形質や因子を特定することで、早期介入やCPAP治療の個別のフォローアップ経路の開発が可能になる。

Factors Associated With Residual Apnea-Hypopnea Index Variability During CPAP Treatment. *CHEST*, 163 (5), pp. 1258-1265, May 2023

8.（ a ）を今後さらに調査していく必要がある。

[**a**] need(s) further attention/investigation/research.

　主題を配置し、今後の予定として、さらなる調査が必要であることを平易なSVOで表現します。

These genomic features and their potential association with virus characteristics and virulence in humans **need further attention.**
これらのゲノムの特徴、およびそれがヒトにおいてウイルスの特徴や毒性と関連するか否かについては、今後調査していく必要がある。

Full-genome evolutionary analysis of the novel corona virus (2019-nCoV) rejects the hypothesis of emergence as a result of a recent recombination event. *INFECTION, GENETICS AND EVOLUTION*, 79, Apr 2020

Variation in the phenolic acid contents of the vegetables was either moderate or considerable and **needs further research**.
野菜のフェノール酸含有量のばらつきは、中程度またはか

結果と考察

なりの範囲であったため、さらなる研究が必要である。

Phenolic acids in potatoes, vegetables, and some of their products. *JOURNAL OF FOOD COMPOSITION AND ANALYSIS*, 20 (3-4), pp. 152-160, May 2007

In mild cognitive impairment and normal aging, decision-making under ambiguity **needs further investigation**.

軽度認知障害の場合と通常老化の場合のあいまいな状況下での意思決定については、さらなる研究が必要である。

Decision-Making Profiles and Their Associations with Cognitive Performance in Mild Cognitive Impairment. *JOURNAL OF ALZHEIMER'S DISEASE*, 87 (3), pp.1215-1227, 31 May 2022

Tips for Readers
require で開始して enable で終えるアブストラクト

学生 アブストラクトで便利に使える様々な例文を学びました。最終文を enabe で終える表現、ポジティブで良いですね。

——はい、多く見られます。特に、第6章1節で紹介した「〜は重要／必要である」を表す［ **a** ］require(s)［ **b** ］. で開始して、「〜が可能になる」を表す［ **a** ］enable(s)［ **b** ］.で終えるアブストラクトを国際ジャーナルで目にすることがあります。require と enable のサンドイッチ構造のアブストラクトは書きやすいので、試してみてください。

例1

第1文：Understanding the amazingly complex human cerebral cortex **requires** a map (or parcellation) of its major subdivisions, known as cortical areas.
驚くほど複雑なヒトの大脳皮質を理解するためには、主な細別部分である皮質領域のマップ（区域分け）が必要である。

最終文：The freely available parcellation and classifier **will enable** substantially improved neuroanatomical precision for studies of the structural and functional organization of human cerebral cortex and its variation across individuals and in development, aging, and disease.
無料で利用できるこの区域分けと識別装置によって、ヒト大脳皮質の構造的・機能的構成の研究、および個人間や発達・老化・疾病におけるその変動の研究において、神経解剖学的な正確性を大幅に改善できるだろう。

A multi-modal parcellation of human cerebral cortex.
NATURE, 536 (7615), pp. 171-178, Aug 11 2016

結果と考察

例2

第1文：The economic production of algal biofuels **requires** novel strategies, such as microbial consortia and synthetic ecologies, to boost the productivity of open pond systems.
藻類バイオ燃料の経済的な生産には、オープンポンドシステムの生産性を高めるために、微生物コンソーシアムや合成生態学などの新しい戦略が必要である。

最終文：This modeling framework **will enable** the use of optimization algorithms in the design of open pond systems in the near future and will allow the exploration of novel strategies in bioprocesses employing microbial communities.

このモデリングの枠組みによると、近い将来、オープンポンドシステムの設計に最適化アルゴリズムを使用することが可能になり、微生物コミュニティを採用したバイオプロセスにおける新戦略の探求が可能になるだろう。

From sugars to biodiesel using microalgae and yeast. *GREEN CHEMISTRY*, 18 (2), pp.461-475, 2016

学生 これは書きやすそうですね。是非試してみます。

全体の流れの改善

第9章

テンプレート❺
文と文の
結びつき

9-1 主語で結束を高める

　アブストラクトでは、「概要から詳細へ」、または「知られている内容から知られていない内容へ」と情報を展開するのが通例です。その際、2文目以降の文をできる限り既出の情報から開始することで、文と文の結束性を高めることができます。既出の情報から文を開始するためには、前の文と主語をそろえるか、前の文に登場させた情報を次の文の主語に使います。

前の文と主語をそろえる

　アブストラクトの書き出しの数文では、主語を主題にそろえることが有効です。ここでの「主語をそろえる」とは、前の文と全く同じ主語にするほかにも、前の文の主語と等価または類似の主語や、前の文の主語を詳細にした主語を使うことも含みます。

【同じ主語】

例

Strengthening food and nutrient security is crucial to

文と文の結びつき

feeding the ever-growing world population. **Millets** provide energy and nutrients for millions of poor people in low- and middle-income countries of Asia and Africa. **Millets** require less fertilizer and pesticide, unlike mainstream cereals, for cultivation. **Millets** supply superior nutrients and possess excellent climate resilience properties.

増え続ける世界人口への食糧供給には、食糧と栄養の安全保障を強化することが極めて重要である。雑穀は、アジアやアフリカの低中所得国に住む何百万人もの貧しい人々のエネルギー・栄養源となっている。主流の穀物と比べて、雑穀は栽培に必要な肥料や農薬が少なく、高い栄養素を供給でき、気候耐性に優れている。

The role of millets in attaining United Nation's sustainable developmental goals. *PLANTS PEOPLE PLANET*, 4 (4), pp. 345-349, Mar 2022

　アブストラクトの2文目で研究の主題となる「雑穀（millet）」を主語にし、その先、4文目まで同じ主語を使っています。

【2文目の主語をThis＋具体語で短縮】

例

The water-gas shift (WGS) reaction is an industrially important source of pure hydrogen (H_2) at the expense of carbon monoxide and water. **This reaction** is of interest for fuel-cell applications, but requires WGS catalysts that are durable and highly active at low temperatures.

水性ガスシフト反応は、一酸化炭素と水から純粋な水素を得られる、工業的に重要な反応である。燃料電池の用途として注目されているが、耐久性に優れ、低温で高活性を示す水性ガスシフト触媒が必要である。

A stable low-temperature H_2-production catalyst by crowding Pt on α-MoC. *NATURE* 589 (7842), pp. 396-401, Jan 21 2021

アブストラクトの冒頭の2文において、The water-gas shift (WGS) reaction（水性ガスシフト反応）を次の文で This reaction（この反応）と短縮して、同じものを指す主語としています。2文目の主語に代名詞itを使わず、具体的に表現しています。

【2文目で詳細に言い換えた主語】

例

Direct splitting of earth-abundant seawater provides an eco-friendly route for the production of clean H_2, but is hampered by selectivity and stability issues. **Direct seawater electrolysis** is the most established technology, attaining high current densities in the order of 1-2 A cm^{-2}.

地球上に豊富に存在する海水の直接分解は、クリーン水素を生産するための環境に優しい方法といえるが、選択性と安定性の問題があるために限界がある。海水の直接電解は最も確立された技術であり、約1〜2 Acm^{-2}の高い電流密度を達成している。

文と文の結びつき

Tapping hydrogen fuel from the ocean: A review on photocatalytic, photoelectrochemical and electrolytic splitting of seawater. *RENEWABLE & SUSTAINABLE ENERGY REVIEWS*, 142, May 2021

　Direct splitting of earth-abundant seawater（地球上に豊富に存在する海水の直接分解）を1文目の主語とし、次の文ではDirect seawater electrolysis（海水の直接電解）として内容を具体化しています。概要から詳細へと内容を展開するアブストラクトの1文目と2文目を抜粋しました。

例

Effective photocatalytic systems that are capable of converting solar energy into chemical fuels have recently attracted significant attention. **Covalent organic polymers** (COPs) have been explored as promising photocatalysts for visible-light-driven hydrogen evolution from water.

太陽エネルギーを化学燃料に変換できる効果的な光触媒系が、最近大きな注目を集めている。なかでも共有結合性有機ポリマーは、可視光を使って水から水素を発生させる有望な光触媒として研究されてきた。

Triptycene-based discontinuously-conjugated covalent organic polymer photocatalysts for visible-light-driven hydrogen evolution from water. *APPLIED CATALYSIS B: ENVIRONMENTAL*, 285, May 15 2021

　Effective photocatalytic systems（効果的な光触媒系）を1文目の主語とし、次の文でCovalent organic

polymers（共有結合性有機ポリマー）として具体化して
います。概要から詳細へと内容を展開することで、1文目
と2文目を内容で結束しています。日本語には「なかで
も」を補いました。

【前の主語に視点をそろえたまま情報を展開】

例

Terrestrial carbon stock mapping is important for
the successful implementation of climate change
mitigation policies. **Its accuracy** depends on the
availability of reliable allometric models to infer
oven-dry aboveground biomass of trees from census
data.

陸域炭素蓄積量のマッピングは、気候変動緩和政策の成功
のために重要であり、その精度は、全数調査データから樹
木の乾燥地上部バイオマスを推定するための信頼できるア
ロメトリック・モデルが利用できるかどうかにかかってい
る。

Improved allometric models to estimate the aboveground
biomass of tropical trees. *GLOBAL CHANGE BIOLOGY*, 20
(10), pp. 3177-3190, Oct 2014

Terrestrial carbon stock mapping（陸域炭素蓄積量
のマッピング）→ Its accuracy（その正確さ）へと、視点
をそろえたまま情報を展開しています。

文と文の結びつき

前の文に登場させた情報を主語にする

　アブストラクトの情報展開が進むにつれ、より詳細な内容を書いたり、読み手に知られていない特殊な内容へと深めたりするため、はじめの主語を使い続けることができなくなります。そのような場合に、前の文に登場させた情報を次の文の主語に使います。

【前の文の単語を使った短い主語】

例

The present study combines these approaches in **a three-step sequential climate model selection procedure**: (1) initial selection of climate models based on the range of projected changes in climatic means, (2) refined selection based on the range of projected changes in climatic extremes and (3) final selection based on the climate model skill to simulate past climate. **This procedure** is illustrated for a study area covering the Indus, Ganges and Brahmaputra river basins.

本研究では、(1)気候平均値の変化予測範囲に基づく気候モデルの初期選択、(2)極端気候の変化予測範囲に基づく精緻な選択、(3)過去の気候のシミュレーションを行う気候モデルの技量に基づく最終選択、という選択手法を組み合わせ、3段階からなる連続的な気候モデル選択手順とした。インダス川、ガンジス川、ブラマプトラ川の流域を含む調査地域について、この手順を説明する。

Selecting representative climate models for climate change impact studies: an advanced envelope-based selection approach. *INTERNATIONAL JOURNAL OF CLIMATOLOGY*, 36 (12), pp. 3988-4005, Oct 2016

　前の文に登場させたa three-step sequential climate model selection procedure（3段階からなる連続的な気候モデル選択手順）を、This procedure（この手順）と短くして次の文の主語に使っています。代名詞Itは使わず、This＋具体語を使っています。アブストラクト中程より抜粋しました。

【前の文の内容を効果的に言い換えた主語】

例1

Climate change is already causing considerable reductions in biodiversity in all terrestrial ecosystems. **These consequences** are expected to be exacerbated in biomes that are particularly exposed to change, such as those in the Mediterranean, and in certain groups of more sensitive organisms, such as epiphytic lichens.

気候変動を原因として、あらゆる陸上生態系における生物多様性が既に大幅に減少している。このような影響は、地中海地域のように、特に変化に直面している生物群系や、着生地衣類のように、より感受性の高い特定の生物群においてさらに増大することが予想される。

Little time left. Microrefuges may fail in mitigating the effects of climate change on epiphytic lichens. *SCIENCE OF THE TOTAL ENVIRONMENT*, 825, Jun 15 2022

文と文の結びつき

前文の内容「気候変動を原因として、あらゆる陸上生態系における生物多様性が既に大幅に減少している」をThese consequences（これらの結果）と言い換えて次の文の主語に使っています。

例2

Greenhouse cultivation has evolved from simple covered rows of open-fields crops to highly sophisticated controlled environment agriculture (CEA) facilities that projected the image of plant factories for urban agriculture. **The advances and improvements** in CEA have promoted the scientific solutions for the efficient production of plants in populated cities and multi-story buildings.

温室栽培は、露地栽培の農業シートで覆っただけのシンプルな畝から、都市農業の植物工場のイメージを投影した高度な環境制御型農業へと発展してきた。このような環境制御型農業の進歩と改良によって、人口の多い都市や複数階建ての建物で植物を効率的に生産するための科学的解決策がもたらされた。

Advances in greenhouse automation and controlled environment agriculture: A transition to plant factories and urban agriculture. *INTERNATIONAL JOURNAL OF AGRICULTURAL AND BIOLOGICAL ENGINEERING*, 11 (1), pp. 1-22, Jan 2018

　2文目の主語で前文の内容を効果的に言い換えています。

【次の文を This で開始する】

例 1

Solar-to-Hydrogen efficiencies have increased over the past decade from negligible values to about 2%. Especially the absence of large local pH changes (in the order of several tenths of a pH unit compared to up to 9 pH units for electrolysis) is a strong asset for pure photocatalysis. **This** may lead to less adverse side-reactions such as Cl_2 and ClO^- formation, (acid or base induced) corrosion and scaling. Besides, additional requirements for electrolytic cells, e.g. membranes and electricity input, are not needed in pure photocatalysis systems.

太陽光から水素への変換効率は、この10年間でごくわずかな値から約2%まで向上した。特に、局所的にpHが大幅に変化しない（電気分解で最大pH9に対し、数十分の1のpH変化）ことは、純粋な光触媒にとって大きな利点である。このため、Cl_2やClO^-の生成や（酸や塩基による）腐食、スケーリングなど、有害な副反応が減少する可能性がある。加えて、純粋な光触媒系では、電解槽に必要となる膜や電力などの追加要件が不要である。

Tapping hydrogen fuel from the ocean: A review on photocatalytic, photoelectrochemical and electrolytic splitting of seawater. *RENEWABLE & SUSTAINABLE ENERGY REVIEWS*, 142, May 2021

前の文の情報を表すThis（このこと）を主語に使っています。同様の例を続けます。

文と文の結びつき

Complexity is increasingly the hallmark in environmental management practices of sandy shorelines. **This** arises primarily from meeting growing public demands (e.g., real estate, recreation) whilst reconciling economic demands with expectations of coastal users who have modern conservation ethics.

砂浜海岸の環境管理は複雑さを増しているが、その主たる理由は、経済的要求と近代的な保全倫理を有する海岸利用者の期待に応えることを両立させつつ、高まる公的需要（例：不動産、娯楽）を満たさなければならないことにある。

Metrics to assess ecological condition, change, and impacts in sandy beach ecosystems. *JOURNAL OF ENVIRONMENTAL MANAGEMENT*, 144, pp. 322-335, Nov 1 2014

【次の文を This＋具体的な言葉で開始する】

例1

Changes in atmospheric composition, such as increasing greenhouse gases, cause an initial radiative imbalance to the climate system, quantified as the instantaneous radiative forcing. **This fundamental metric** has not been directly observed globally and previous estimates have come from models.

温室効果ガスの増加などの大気組成の変化によって気候シ

ステムに生じる初期放射不均衡が、瞬時放射強制力として
定量化される。この基本的指標がこれまで地球規模で直接
観測されたことはなく、モデルによる推定が行われていた。

Observational Evidence of Increasing Global Radiative Forcing.
GEOPHYSICAL RESEARCH LETTERS, 48 (7), Apr 16 2021

　前の文の情報をThis fundamental metric（この基本
的な指標）と言い換えて主語に使っています。

例2

We apply radiative kernels to satellite observations
to disentangle these components and find all-sky
instantaneous radiative forcing has increased 0.53 $\pm$
0.11 W/m^2 from 2003 to 2018, accounting for positive
trends in the total planetary radiative imbalance.
This increase has been due to a combination of rising
concentrations of well-mixed greenhouse gases and
recent reductions in aerosol emissions.
衛星観測に放射カーネルを適用してこれらの成分を分離し
た結果、全天瞬時放射強制力が2003年から2018年にか
けて0.53 ± 0.11W/m^{2}増加し、惑星全体の放射不均衡の正
の傾向が確定された。この増加の要因として、十分に混合
された温室効果ガス濃度が上昇していること、近年エアロ
ゾル排出量が減少していること、の両者があげられる。

Observational Evidence of Increasing Global Radiative Forcing.
GEOPHYSICAL RESEARCH LETTERS, 48 (7), Apr 16 2021

　4文目と5文目を抜粋しました。前文の「＿ has
increased（〜が増加した）」という内容を、This
increase（この増加）として、次文の主語に使っています。

文と文の結びつき

学生　中学校の英語の授業では「分詞構文」を学んだ記憶があります。Graduating from the university, I started working.（大学を卒業した後、働きはじめた）のような文章を記憶しています。論文でも使えますか。

——分詞構文では、この例文であれば、I started working after I graduated from the university. のように主節（前半）と従属節（後半）の主語がそろっていることを確認した上で、従属節（後半）の主語を省略し、動詞を分詞に変えて、I started working after graduating from the university. とします。そこからさらに接続詞afterを省略し、従属節を前に移動して完成させます。このような文頭で使う分詞構文は、分詞の意味上の主語と主節の主語がそろっていること、読み手が負担なく読めることを確認して使用することが大切です。正しい使用例を論文から確認しましょう。

Benefiting from the wide operating voltage and high capacitance of the negative and positive electrodes, the assembled ASC can operate stably at a high voltage of 2 V.

ASC = asymmetric supercapacitor

広い動作電圧および負極と正極の高静電容量を利点として、今回製作した非対称型スーパーキャパシタは、2Vという高電圧でも安定した動作が可能である。

Hybridization of porous vanadium nitride nanosheets with cobalt- encapsulated nitrogen-doped carbon nanotubes on carbon cloth as an advanced monolithic negative electrode for boosting asymmetric supercapacitors. *JOURNAL OF ALLOYS AND COMPOUNDS*, 936, Mar 5 2023

学生 Graduating from the university,... と同じ形ですね。よくわかりました。他にも分詞構文の使い方はありますか。——実は、このような文頭の分詞構文よりもさらに論文で活用できるのは、文末の分詞構文です。2文目の主語を前の文章の主語とそろえた場合、または2文目の主語に前文全体の内容を表したThisを使った場合に、文末分詞構文の使用が検討できます。例を見てみましょう。

分詞構文の主語が文の主語

Lithium nickel oxide (LiNiO₂) is a promising next-generation cathode material for lithium-ion batteries (LIBs), **offering** exceptionally high specific capacity and reduced material cost.

リチウムニッケル酸化物（LiNiO₂）は、リチウムイオン電池（LIB）の次世代正極材料として期待されており、極めて高い比容量と材料コストの低減が可能である。

Surface Stabilization of Cobalt-Free LiNiO₂ with Niobium for Lithium-Ion Batteries. *ACS APPLIED MATERIALS & INTERFACES*, https://pubs.acs.org/doi/10.1021/acsami.2c20268, Jan 2023（早期公開）

次の2つの文をつないだのが上の文末分詞構文を使った文章と考えられます。

Lithium nickel oxide (LiNiO₂) is a promising next-generation cathode material for lithium-ion batteries (LIBs). **Lithium nickel oxide (LiNiO₂)** offers exceptionally high specific capacity and reduced material cost.

文と文の結びつき

分詞構文の主語が This（このこと）

Varying climates and city sizes can modify the significance of the 2D and 3D UMPs on the urban surface energy balance, **suggesting** that urban thermal mitigation should consider climate background and population size.

UMPs = urban morphological parameters

気候や都市規模が異なると、都市表面のエネルギー収支に対する二次元および三次元の都市形態パラメータの重要性が変化する可能性がある。このことにより、都市の熱緩和には気候背景と人口規模を考慮する必要があると考えられる。

Seasonal and diurnal surface urban heat islands in China: an investigation of driving factors with three-dimensional urban morphological parameters. *GISCIENCE & REMOTE SENSING*, 59 (1), pp. 1121-1142, Dec 31 2022

学生 文末の分詞構文は学校で習った記憶がないのですが、情報が流れよく出てきて、便利そうですね。上の例であれば、次の2つの文を分詞構文でつなげているということですね。

Varying climates and city sizes can modify the significance of the 2D and 3D UMPs on the urban surface energy balance. **This** suggests that urban thermal mitigation should consider climate background and population size.

――そのとおりです。文末の分詞構文は英語論文で頻出する便利な表現です。是非マスターしてください。

9-2　読みやすく文を長くする

　アブストラクトは語数が限られているため、可能なかぎり簡潔に書くことが求められます。ところが、1文が短すぎると、読み手が情報を得る効率が悪くなってしまいます。そこで、読みやすさを保持したまま、文を長くする方法を説明します。その際、1文に含めるメインの情報を1つに絞ることが大切です。そうすることで、全体として多少長くなったとしても、部分ごとに区切り、難なく読みすすめられる文になります。

　この方法として、はじめに短い複数文を書き、正しく書けたことを確認してから文と文をつなぎます。本章の1節で説明したように、各文の主語として既出の情報が配置されていれば、文と文をつなげる箇所が見つけやすくなります。

複数文をつなげる箇所を探してつなぐ

　複数文をつなぐために、等位接続詞（例：and, but）、従属接続詞（例：although, whereas, because）、関係代名詞（非限定用法、限定用法）、分詞（文頭・文末の分詞構文）を使うことができます。句読点であるセミコロン（;）を使って文をつなぐこともできます。ほかにも、unlikeで対比を表す、as well asで情報を追加する、because ofで理由を加える、といった方法で文を長くすることができます。

文と文の結びつき

235

【等位接続詞（例：and, but）】

❖前半と後半の主語が同じ場合

例1

Biochar incorporation in agricultural soils has been proposed as a climate change mitigation strategy **and** has proved to substantially increase crop productivity via physical, chemical and biological mechanisms.

気候変動の緩和対策として、農業用土壌にバイオ炭を導入することが提案されている。バイオ炭の導入によって、物理的、化学的、生物学的メカニズムを通じて、作物の生産性を大幅にできることが立証された。

Biochar-macrofauna interplay: Searching for new bioindicators. *SCIENCE OF THE TOTAL ENVIRONMENT*, 536, pp. 449-456, Dec 1 2015

アブストラクトの書き出し文からの抜粋です。主語をBiochar incorporation（バイオ炭の導入）にそろえた2つの短い文をはじめに準備し、後半の主語を省略して等位接続詞andでつないだ文と見なすことができます。

例2

These catalysts exhibit good activity (1-2 turnovers per second) with a wide range of alcohols **and** have great promise for electro-organic synthesis.

これらの触媒は、幅広いアルコール類に対して良好な活性

（1秒あたりの触媒回転頻度1〜2回）を示し、有機電解質
合成への応用可能性が見込まれている。

Cooperative electrocatalytic alcohol oxidation
with electron-proton-transfer mediators.
NATURE, 535 (7612), pp. 406-410, Jul 21 2016

　アブストラクト中程より抜粋しました。These
catalysts（これらの触媒）に主語をそろえた2つの短い
文をはじめに準備し、2文目の主語を省略してandでつな
いだ結果と見なすことができます。

例3

Crop simulation models are particularly sensitive to
these inconsistencies **and thus** require further
processing of GCM-RCM outputs.

　　　GCM = general circulation model　RCM = regional climate model

特に、作物のシミュレーションモデルはこうした不一致の
影響を受けやすいため、大気大循環モデルと地域気候モデ
ルによる出力をさらに処理する必要がある。

A dataset of future daily weather data for crop modelling over
Europe derived from climate change scenarios. *THEORETICAL
AND APPLIED CLIMATOLOGY* 127 (3-4), pp. 573-585, Feb 2017

　等位接続詞andに副詞thusを加えることで、情報の流
れを改善することができます（本章3節）。

例4

Understanding the mechanisms of blastocyst
formation and implantation is critical for improving

文と文の結びつき

farm animal reproduction **but** is hampered by a limited supply of embryos.
胚盤胞の形成と着床のメカニズムを理解することが家畜の繁殖性改善のために不可欠であるが、利用可能な胚に限りがあるため、そのような理解が進みにくい状況となっている。

Bovine blastocyst-like structures derived from stem cell cultures. *CELL STEM CELL*, 30 (5), pp. 611-616, May 4 2023

　アブストラクトの1文目で、同様に、主語をUnderstanding（理解すること）にそろえた2つの短い文をはじめに準備し、2文目の主語を省略して接続詞でつないだ結果と見なすことができます。内容が逆接の場合には、等位接続詞butでつなぎます。

❖前半と後半の主語が異なる場合

> 例 1

Global food demand is rising, **and** serious questions remain about whether supply can increase sustainably.
世界の食糧需要は増大しており、供給量を持続的に増やすことができるかという深刻な疑問が残されている。

The future of food from the sea. *NATURE* 588 (7836), pp. 95-100, Dec 3 2020

　等位接続詞でつないだ文の前半と後半の主語が異なる場合は、後半の主語が必要になります。その際、接続詞の前にコンマを入れることで、話題が変わることを明示します。

例2

Photocatalytic reduction of Cr(VI) to its less toxic Cr(III) state is a potential strategy to combat Cr(VI) pollution, **but** the efficiency of the process is low, especially in the absence of hole scavenger organic reagents.

Cr(VI) = hexavalent chromium　Cr(III) = trivalent chromium

六価クロムによる汚染対策として、光触媒を用いて毒性の低い三価クロムへと還元する方法が考えられるが、特に、正孔捕捉剤の有機試薬がない場合に、工程の効率が低いという問題がある。

Prussian blue as a co-catalyst for enhanced Cr(VI) photocatalytic reduction promoted by titania-based nanoparticles and aerogels. *NEW JOUNAL OF CHEMISTRY*, 45 (23), pp. 10217-10231, Jun 21 2021

同様に、等位接続詞butで2つの文をつなぎます。

【従属接続詞 （例：although, whereas, because）】

例1

Although molecular and adaptive breeding strategies can buffer the effects of climatic stress and improve crop resilience, these approaches require sufficient knowledge of the genes that underlie productivity and adaptation—knowledge that has been limited to a small number of well-studied model systems.

文と文の結びつき

分子育種戦略や適応育種戦略によって、気候ストレスの影響を緩和し、作物の回復力を向上させることができるが、そのためには、生産性と適応の基礎となる遺伝子に関する十分な知識が必要である。ところが、そうした知識はこれまで、研究が十分に進んでいる少数のモデル系に限って利用可能であった。

Genomic mechanisms of climate adaptation in polyploid bioenergy switchgrass. *NATURE*, 590 (7846), pp. 438-444, Feb 18 2021

従属接続詞を使うことで、前半がサブの情報、後半がメインの情報となります。

例2

Polymicrogyria appears to be a more frequent finding, **although** its actual incidence is unknown.
多小脳回症の所見頻度は高いようであるが、実際の発生率は不明である。

Congenital cytomegalovirus infection with brainstem hemorrhage and polymicrogyria: Necropsic and histopathological findings. *CONGENITAL ANOMALIES*, 62 (6), pp. 248-253, Nov 2022

althoughの文の後半に配置する場合には文法的にコンマが不要ですが、コンマを入れる場合には、メインの文（前半）に対する補足の説明として後半の内容を伝えることができます。

例3

CO$_2$ fertilization effects explain most of the greening trends in the tropics, **whereas** climate change resulted in greening of the high latitudes and the Tibetan Plateau.

高緯度地域とチベット高原の緑化が気候変動に起因しているのに対し、熱帯地域の緑化傾向の大部分はCO$_2$施肥効果によるものと説明付けられる。

Greening of the Earth and its drivers. *NATURE CLIMATE CHANGE*, 6 (8), pp. 791-795, Aug 2016

whereas（一方、〜である）を使うことで、2つの文の内容を対比して表します。文を区切って間にOn the other hand,（一方）を配置するよりも、単語数を節約できます。

例4

Recently, weather changes have also affected the electricity supply **because** renewable energy sources have been diffused.

最近は再生可能エネルギー源が普及したため、昨今、天候の変化によっても電力供給が影響を受けるようになった。

The impact of weather changes on the supply and demand of electric power and wholesale prices of electricity in Germany. *SUSTAINABILITY SCIENCE*, 17 (5), pp. 1813-1825, Sep 2022（早期公開）

becauseを使って因果関係を表すことができます。

文と文の結びつき

becauseによる節は文頭と文の後半の両方に配置できますが、文の後半の方が文頭より頻度が高いといえます。

例5

However, this correlation was absent in older males, **seemingly because** these males display more saturated carotenoid pigmentation, and thus less variance in carotenoid chroma.

しかし、高齢のオスの鳥ではこの相関が見られなかった。理由として、高齢のオスはカロテノイド色素が飽和し、そのため、カロテノイド彩度の変動が少なくなることが考えられる。

Pigment-specific relationships between feather corticosterone concentrations and sexual coloration. *BEHAVIORAL ECOLOGY*, 26 (3), pp. 706-715, May-Jun 2015

becauseによる因果関係は強いため、それを和らげるためにコンマを挿入することができます。コンマに加えてseemingly（〜と思われる）を挿入することによって、「〜が考えられる」と表すことも可能です。

【関係代名詞（非限定用法、限定用法）】

例1

Remote rural areas, **which** are generally the source regions for drinking water in small towns in China, experience nitrate pollution due to intensive agricultural activities.

僻地の農村部は、中国の小さな町に向けた飲料水源として機能することが通例であるが、集中的な農業活動のために硝酸塩汚染が発生している。

Effects of valley reshaping and damming on surface and groundwater nitrate on the Chinese Loess Plateau. *JOURNAL OF HYDROLOGY*, 584, May 2020

関係代名詞非限定用法の「, which」を使うことで、サブ情報（which are generally the source regions...）とメイン情報（Remote rural areas experience nitrate pollution...）が視覚的に読み取りやすくなります。非限定用法の関係代名詞では、文全体に対して、関係代名詞節の内容を付加的な情報として表します。つまり、この例では、which are generally the source regions... を取り除いても、文全体に大きな影響はありません。

例2

The satellite-based albedo and LAI, and assimilation-based soil-moisture data of high temporal-spatial resolution, **which** are more accurate to match fine weather forecasts and high-resolution simulations, were used to update the default LSCPs.

LAI = leaf-area index   LSCP = land-surface-characteristic parameter

衛星で入手したアルベドや葉面積指数およびデータ同化により入手した土壌水分の高時空間解像度データは精度が高く、詳細な気象予報や高解像度シミュレーションと一致する可能性が高い。そのため、それらのデータを用いて地表面特性パラメータの初期値の更新を行った。

文と文の結びつき

Integrating Remote-Sensing and Assimilation Data to Improve Air Temperature on Hot Weather in East China. *REMOTE SENSING*, 13 (17), Sep 2021

　関係代名詞非限定用法を使うことで、伝える情報の多い長い文であっても、メイン情報とサブ情報を視覚的に分けることで、読みやすく情報を提示できます。

例3

Urban residential districts (URDs) are a major element in the formation of cities **that** are essential for urban planning.

主語がDirect seawater electrolysis（直接海水電解）にそろった2文を作成したら、文末分詞構文を使ってつなぐことができます。2文目を代名詞itで開始するのを避けることができます。

Very high-resolution remote sensing-based mapping of urban residential districts to help combat COVID-19. *CITIES*, 126, Jul 2022

　関係代名詞の限定用法thatを使っています。限定用法の関係代名詞は、関係代名詞節が、文全体に対して必須の情報である場合に使用します。必須の情報とすることで、情報が読み飛ばされることがないという利点があります。

【分詞（文末・文頭の分詞構文）】

❖文末分詞構文

例1

Direct seawater electrolysis is the most established technology, **attaining** high current densities in the

order of 1-2 Acm⁻².
直接海水電解は最も確立された技術であり、1〜2 Acm⁻²
のオーダーの高い電流密度を達成している。

Tapping hydrogen fuel from the ocean: A review on photocatalytic, photoelectrochemical and electrolytic splitting of seawater. *RENEWABLE & SUSTAINABLE ENERGY REVIEWS*, 142, May 2021（早期公開）

　2つの文の主語がそろった場合に、後半に文末分詞を配置できます。このようにつなぐことで、後半の文を代名詞itで開始することを避けることができます。

例2

Increasing human populations around the global coastline have caused extensive loss, degradation and fragmentation of coastal ecosystems, **threatening** the delivery of important ecosystem services.
世界中の沿岸部における人口増加によって、沿岸の生態系の大規模な損失、劣化、断片化が起こり、重要な生態系サービスの提供が脅かされている。

The global distribution and trajectory of tidal flats. *NATURE*, 565 (7738), pp. 222-225, Jan 10 2019

　2文目がThis threatens the delivery...（このことにより、〜の提供が脅かされる）という文脈においても、文末の分詞構文が使えます。

文と文の結びつき

An amorphous analog of the COF showed significantly lower CO production rates, **suggesting that** crystallinity of the COF is beneficial to its photocatalytic performance in CO_2 reduction.

COF = covalent organic framework

共有結合性有機骨格のアモルファス類似体では、COの生成速度が著しく低かった。このことによると、CO_2還元の光触媒性能において、共有結合性有機骨格の結晶性が有利に働いていると考えられる。

A stable covalent organic framework for photocatalytic carbon dioxide reduction. *CHEMICAL SCIENCE*, 11 (2), pp. 543-550, Jan 14 2020

「～である。このことによると、～と考えられる。」という文末分詞構文が使える典型的な文脈です。動詞suggestの後ろには、「～は、～である」を表すthat節を配置することができます。

Factorial simulations with multiple global ecosystem models suggest that CO_2 fertilization effects explain 70% of the observed greening trend, **followed by** nitrogen deposition (9%), climate change (8%) and land cover change (LCC) (4%).

複数の地球生態系モデルを用いたファクトリアルシミュレーションによると、観測された緑化傾向の70%がCO_2施

肥効果によるもので、次いで窒素沈着（9%）、気候変動（8%）、土地被覆変化（4%）であることが示唆された。

Greening of the Earth and its drivers. *NATURE CLIMATE CHANGE*, 6 (8), pp. 791-795, Apr 2016

　過去分詞を使った分詞構文です。「～が後に続く」という文脈にfollowed byを使用できます。

❖文頭分詞構文

例1

Combining advanced measurement infrastructure (AMI) and information and communications technology (ICT), the Internet of Things (IoT) has been widely used in the energy system.
先進計測インフラと情報通信技術を組み合わせたIoTは、エネルギーシステムで広く使用されている。

（筆者注：Combing→Combiningに修正）

Double-Layer Optimization of Industrial-Park Energy System Based on Discrete Hybrid Automaton. *IEEE INTERNET OF THINGS JOURNAL*, 10 (9), pp. 7528-7536, May 1 2023

　文頭の分詞構文は、意味上の主語と後半の主節の主語がそろっている必要があります。

例2

Using life cycle assessment, we determine the environmental impacts avoided by using 1 MW h of

文と文の結びつき

surplus electricity in the energy storage systems instead of producing the same product in a conventional process.

ライフサイクルアセスメントを用いて、同じ製品を従来のプロセスで生産する代わりに、エネルギー貯蔵システムで1MWhの余剰電力を使用することで回避される環境負荷を決定する。

Power-to-What?–Environmental assessment of energy storage systems. *ENERGY & ENVIRONMENTAL SCIENCE*, 8 (2), pp. 389-400, 2015

文頭に分詞usingを使った分詞構文です。なお、分詞構文の意味上の主語が主節の主語weとそろっています。このusingは、前置詞withのように働いているとも考えられます。

【句読点セミコロン（;）】

例1

However, the fraction of input CO_2 that is productively reduced has typically been very low, <2% for multicarbon products; the balance reacts with hydroxide to form carbonate in both alkaline and neutral reactors.

しかし、投入されたCO_2のうち効果的に生産的に還元される割合は非常に低いのが通例であり、多炭素生成物では2%未満である。残りは、アルカリ性反応器でも中性反応器でも、水酸化物と反応して炭酸塩を形成する。

CO₂ electrolysis to multicarbon products in strong acid.
SCIENCE, 372 (6546), pp. 1074-1078, Jun 4 2021

　セミコロンは、内容が関連する2つの文の1文目のピリオドに代わって使用し、2つの文を関連付ける役割があります。

例2

Coke production is a significant source of ambient volatile organic compound emissions**; thus**, stringent control measures must be applied.
コークス製造は、環境中の揮発性有機化合物の主要な排出源となるため、厳格な管理対策を適用しなければならない。

Spatial-temporal variations and reduction potentials of volatile organic compound emissions from the coking industry in China. *JOURNAL OF CLEANER PRODUCTION*, 214, pp. 224-235, Mar 20 2019

　セミコロンでつなぐ2つの文は内容が関連しているので、thus（したがって）のような副詞を加えることもできます。

【その他：unlike, as well as, because of】

❖対比を表す前置詞unlike

Unlike traditional fossil fuel-based resources, renewable energy sources potentially play a pivotal role in sustaining a country's economy and improving the quality of life.
従来の化石燃料由来の資源とは異なり、再生可能エネルギ

文と文の結びつき

一源は、国の経済を持続させ、生活の質を向上させる上で
の中心的な役割を果たす可能性がある。

Predicting the energy output of hybrid PV-wind renewable
energy system using feature selection technique for smart
grids. *ENERGY REPORTS*, 7, pp. 8465-8475, Nov 2021

traditional fossil fuel-based resources（従来の化石
燃料由来の資源）とrenewable energy sources（再生可
能エネルギー源）を対比させています。前置詞句を使って
対比を表すことで、本文の主語renewable energy
sourcesが主題であることが強調できます。

❖ as well asで情報を足す

Successful deployment of CEA for urban agriculture
requires many components and subsystems, **as well
as** the understanding of the external influencing
factors that should be systematically considered and
integrated.

CEA = controlled environment agriculture

都市農業に環境制御型農業を導入して成功させるには、多
くの要素やサブシステムが必要であり、体系的に検討・統
合されるべき外部影響要因の理解も必要である。

Advances in greenhouse automation and controlled environment agriculture: A
transition to plant factories and urban agriculture. *INTERNATIONAL JOURNAL
OF AGRICULTURAL AND BIOLOGICAL ENGINEERING*, 11 (1), pp. 1-22, Jan 2018

as well as... を使って情報を足すことができます。

❖ because of で理由を足す

Coastal wetlands (mangrove, tidal marsh and seagrass) sustain the highest rates of carbon sequestration per unit area of all natural systems, primarily **because of** their comparatively high productivity and preservation of organic carbon within sedimentary substrates.

沿岸湿地（マングローブ、潮汐湿地、海草）は、あらゆる自然システムの中で、単位面積当たりの炭素隔離率が最も高いが、その主な理由は、生産性が比較的高く、堆積基質内に有機炭素が保存されているからである。

Wetland carbon storage controlled by millennial-scale variation in relative sea-level rise. *NATURE*, 567 (7746), pp. 91-95, Mar 7 2019

because ofの後ろに名詞を配置して、「〜のために」という強めの因果関係を示すことができます。because of の使い方として、後ろに続く句が、前の内容と結束している必要があります。今回の例では主語coastal wetlands（沿岸湿地）の所有格their をbecause ofの後ろに使うことで結束性を高めています。

Tips for Readers
**since は「〜以来」に限定するのがおすすめ
——因果関係を表す別の方法**

学生 論文を読んでいたら、since が出てきたので「〜以来」なのか「〜のため」という理由の意味なのか、混乱し

てしまいました。

時間的な「〜以来」の意味で使われている since の例：
Since deep learning was introduced into super-resolution (SR), SR has achieved remarkable performance improvements.
ディープラーニングが導入されて以来、超解像は目覚ましい性能向上を達成している。

Lightweight Parallel Feedback Network for Image Super-Resolution. *NEURAL PROCESSING LETTERS*, Aug 2022

——since には「〜以来」以外にも、「〜のため（理由・原因）」という意味があります。英文を読むときはどちらの意味も理解したほうが良いですが、書くときは、時間的な意味である「〜以来」に限定し、because の意味では使わないほうが読み取りやすいでしょう。

学生 では、「〜のために」をどのように表現すればよいですか。
——「〜のために」といった理由に since を使いたくなったときには、一旦、because に変更します。英語には因果関係を表す方法が複数ありますので、because も控えることを検討するとよいでしょう。because や since で因果関係を表さなくても、内容を明示すれば、自然に因果関係が読み手に伝わります。

【理由を表す since を修正しましょう】
△ **Since** deep learning models are black boxes, their predictions involve uncertainties.
ディープラーニングモデルはブラックボックスであるため、予測には不確実性がある。

第1ステップ
意味を明確にするために、まずは because に変更
Because deep learning models are black boxes, their predictions involve uncertainties.

第2ステップ
because 以外の因果関係の表現を検討
○ Deep learning models are black boxes **and thus** involve uncertainties in their predictions.
（主語をそろえて接続詞 **and** でつなぐ）
○ Deep learning models, **which** are black boxes, involve uncertainties in their predictions.
（関係代名詞でつなぐ**1**）
○ Deep learning models are black boxes **that** involve uncertainties in predictions.
（関係代名詞でつなぐ**2**）

学生 因果関係が流れよく理解できました。読むときには since が出てきたらどちらの意味かを考え、書くときには since は時間的な意味だけに使い、さらには because 以外で因果関係を表すことを検討します。

9-3 接続語

　主語で結束を高め、効率的に読み手が情報を入手できるように複数文を作成できたら、読み手の助けになる接続の言葉を挿入すべきかどうか考えます。基本的に、英語は主語で結束性を高めたり、短い複数文をつなげて文を構成したりしますので、文の結束を表す持続の言葉は多く必要ではありません。逆接を表すHoweverなど、最小限の接続語を使って情報の流れを助けます。

　アブストラクトの随所で使える接続語を紹介します。逆接のHowever/Nevertheless/Yet（しかし）や順接のThus/Hence/Therefore（したがって）に加えて、読み手に注目させるために文頭に配置する副詞Notably（特記すべきことに）/Importantly（重要なことに）や、最後のまとめを表す副詞Overall（要するに）などがあります。テンプレートの形で例示します。

> テンプレート

1. しかし、（ **a** ）は（ **b** ）であった。

However/Nevertheless/Yet/Unfortunately, [**a**][**b**].

2. 通常は／具体的には、（ **a** ）は（ **b** ）である。

Typically/Specifically, [**a**][**b**].

3. 一方／（ **c** ）である一方、（ **a** ）は（ **b** ）である。

In contrast, [**a**][**b**].
In contrast to [**c**], [**a**][**b**].

4. （ **c** ）とは異なり／にもかかわらず、（ **a** ）は（ **b** ）である。

Unlike/Despite [**c**], [**a**][**b**].

5. さらに／続いて／最後に、（ **a** ）は（ **b** ）である。

Additionally/Subsequently/Finally, [**a**][**b**].

6. 注目すべきことに、（ **a** ）は（ **b** ）である。

Notably/Importantly/Strikingly/Interestingly, [**a**]
[**b**].

7. したがって、（ **a** ）は（ **b** ）である。

Thus/Hence/Therefore/Consequently, [**a**][**b**].

8. まとめると、（ **a** ）は（ **b** ）である。

Overall, [**a**][**b**].

アブストラクトの書き出しから数文目で研究の限界を記載する際に、逆接を表す副詞を文頭に配置できます。最も使用頻度の高いHowever、対比を強調するNevertheless、若干だけた表現で驚きのニュアンスが入るYet、残念さを伝えるUnfortunatelyが使えます。

Artificial photosynthesis offers a promising strategy to produce hydrogen peroxide (H_2O_2) — an environmentally friendly oxidant and a clean fuel. **However**, the low activity and selectivity of the two-electron oxygen reduction reaction (ORR) in the photocatalytic process greatly restricts the H_2O_2 production efficiency.

人工光合成は、環境に優しい酸化剤でありクリーンな燃料でもある過酸化水素を生産するための有望な戦略となる。しかし、光触媒プロセスにおける2電子酸素還元反応の活性と選択性が低いため、過酸化水素の生産効率は不十分である。

Atomically dispersed antimony on carbon nitride for the artificial photosynthesis of hydrogen peroxide. *NATURE CATALYSIS*, 4 (5), pp. 374-384, May 2021

The current climate change trend urges the application of efficient spatial planning to mitigate the effects of urbanization on local urban warming.

Nevertheless, how urban temperatures respond to urban form changes inside cities is still insufficiently understood.

現在の気候変動傾向においては、局所的な都市温暖化に対する都市化の影響を緩和するために、効率的な空間計画を採用することが促される。しかし、都市内での都市形態の変化に対して気温がどのように変化するかは、まだ十分にわかっていない。

Does urban climate follow urban form? Analysing intraurban LST trajectories versus urban form trends in 3 cities with different background climates. *SCIENCE OF THE TOTAL ENVIRONMENT*, 830, Jul 15 2022

Coral restoration is increasingly used globally as a management tool to minimize accelerating coral reef degradation resulting from climate change. **Yet**, the science of coral restoration is still very focused on ecological and technical considerations, impeding the understanding of how coral restoration can be used to improve reef resilience in the context of socio-ecological systems.

気候変動によって加速するサンゴ礁の劣化を最小限に抑えるための管理手段として、サンゴの修復が世界的に実施されている。しかし、サンゴの修復に関する科学は、生態学的・技術的な考察が中心であるため、社会生態学的にサンゴ礁の回復力を強化するためにサンゴの修復をどのように利用できるかという理解が妨げられている。

Coral restoration: Socio-ecological perspectives of benefits and limitations. *BIOLOGICAL CONSERVATION*, 229, pp. 14-25, Jan 2019

文と文の結びつき

Electrochemical reduction of carbon dioxide (CO_2) to carbon monoxide (CO) is the first step in the synthesis of more complex carbon-based fuels and feedstocks using renewable electricity. **Unfortunately**, the reaction suffers from slow kinetics owing to the low local concentration of CO_2 surrounding typical CO_2 reduction reaction catalysts.

二酸化炭素の電気化学的還元による一酸化炭素の生成は、再生可能な電力を用いて複雑な炭素系燃料や原料を合成するための最初のステップである。しかし、この反応は、典型的な二酸化炭素の還元触媒の周囲に存在する二酸化炭素の局所濃度が低いため、反応速度が遅いという問題がある。

Enhanced electrocatalytic CO₂ reduction via field-induced reagent concentration. *NATURE*, 537 (7620), pp. 382-386, Sep 15 2016

2. 通常は／具体的には、（ **a** ）は（ **b** ）である。
Typically/Specifically, [**a**] [**b**].

　アブストラクト冒頭から内容を徐々に詳細へと展開する際に便利に使えます。Typicallyは「典型的には」や「一般的には」を表します。Specificallyは「具体的には」を表し、More specifically（より具体的には）も使うことができます。

Typically, these energy storage systems are compared based on their Power-to-Power reconversion efficiency.

これらのエネルギー貯蔵システムは、電力から電力への再変換効率に基づいて比較されるのが通例である。

Power-to-What? — Environmental assessment of energy storage systems. *ENERGY & ENVIRONMENTAL SCIENCE*, 8 (2), pp. 389-400, 2015

Specifically, these servers aim to cooperatively maximize the amount of data collected from devices and computed over multiple time slots.

具体的には、これらのサーバは、機器から収集し、複数のタイムスロットにわたり計算するデータ量を協調的に最大化することを目指している。

Maximizing Sensing and Computation Rate in Ad Hoc Energy Harvesting IoT Networks. *IEEE INTERNET OF THINGS JOURNAL*, 10 (6), pp. 5434-5446, Mar 15 2023

More specifically, we tested the ability of SyGMa, GLORY, GLORYx, BioTransformer 3.0, and MetaTrans to correctly predict and rank the experimentally observed metabolites of a set of 85 parent compounds.

より具体的には、SyGMa、GLORY、GLORYx、BioTransformer 3.0、MetaTrans の性能試験を実施し、85種の親化合物の実験で観測された代謝物を正確に予測し、ランク付けした。

Computational prediction of the metabolites of agrochemicals formed in rats. *SCIENCE OF THE TOTAL ENVIRONMENT*, 895, Oct 15 2023

文と文の結びつき

　文と文の対比を表します。「一方」を表す別の表現である on the other hand, よりも単語数が少なく、明快に表せます。

In contrast, the projected advancement in leaf emergence was similar across boreal and temperate species.
一方、出葉が早まると予測された種は、北方種と温帯種の間でほぼ同じであった。

Climate-driven shifts in leaf senescence are greater for boreal species than temperate species in the Acadian Forest region in contrast to leaf emergence shifts. *ECOLOGY AND EVOLUTION*, 13 (8), Jul 2023

In contrast to conventional understanding, higher thermal conductivities are associated with lower atomic densities and higher porosities for porous crystals formed from interpenetrating 2D frameworks.
従来の理解とは対照的に、相互貫入構造の二次元骨格から形成される多孔質結晶では、高熱伝導率は、低原子密度と高気孔率に関連している。

Supramolecular Interactions Lead to Remarkably High Thermal Conductivities in Interpenetrated Two-Dimensional Porous Crystals. *NANO LETTERS*, 22 (7), pp. 3071-3076, Apr 13 2022

4.（ **c** ）とは異なり／にもかかわらず、（ **a** ）は（ **b** ）である。
Unlike/Despite ［ **c** ］, ［ **a** ］［ **b** ］.

　文頭の前置詞句を使って、対比や逆接を表すことができます。

Unlike a single event, intermittent weather events may exert more physiological and biological pressure on terrestrial vegetative surfaces.
単発の現象とは異なり、断続的な気象現象によると、陸上の植生表面に対して、より大きな生理的・生物学的圧力が与えられる可能性がある。

Spectral index-based time series analysis of canopy resistance and resilience in a watershed under intermittent weather changes. *ECOLOGICAL INFORMATICS*, 69, Jul 2022

Despite tremendous efforts, developing oxygen electrode catalysts with high activity at low cost remains a great challenge.
多大な努力にもかかわらず、高活性を有する酸素電極触媒を低コストで開発することは、依然として非常に難しい。

Co_3O_4 nanocrystals on graphene as a synergistic catalyst for oxygen reduction reaction. *NATURE MATERIALS*, 10 (10), pp. 780-786, Oct 2011

---

5. さらに／続いて／最後に、（ **a** ）は（ **b** ）である。
Additionally/Subsequently/Finally, ［ **a** ］［ **b** ］.

　副詞を文頭に配置することで、追加の情報を加えたり、

文と文の結びつき

時間的な流れを出したりすることができます。Additionallyは「さらに」や「加えて」、Subsequentlyは「続いて」や「その後」を表します。Finallyは「最後に」を表します。

Additionally, passive cooling reduced active cooling loads by up to 80%.
さらに、パッシブクーリングによって、アクティブクーリング負荷が最大80%削減された。

Improving the passive survivability of residential buildings during extreme heat events in the Pacific Northwest. *APPLIED ENERGY*, 321, Sep 1 2022

Subsequently, spatial auto-correlation analysis was conducted to detect the clustering trend of the changing ecological quality in the study area over time.
続いて、空間的自己相関分析を行い、調査地域における生態系の質の経年変化のクラスタリング傾向を検出した。

Assessing Land Cover and Ecological Quality Changes under the New-Type Urbanization from Multi-Source Remote Sensing. *SUSTAINABILITY*, 13 (21), Nov 2021

Finally, several opportunities and challenges have been identified in implementing the integrated CEA and vertical farming for urban agriculture.

CEA = controlled environment agriculture

最後に、都市農業のための統合環境制御型農業と垂直農法を実施する上での機会と課題が複数明らかになった。

Advances in greenhouse automation and controlled environment agriculture: A transition to plant factories and urban agriculture.

INTERNATIONAL JOURNAL OF AGRICULTURAL AND BIOLOGICAL ENGINEERING, 11 (1), pp. 1-22, Jan 2018

6. 注目すべきことに、（ **a** ）は（ **b** ）である。

Notably/Importantly/Strikingly/Interestingly, [**a**] [**b**].

「特記すべきことに(notably)」、「重要なことに(importantly)」、「驚くこと(strikingly)」、「興味深いことに(interestingly)」はいずれも、注目を集めたい場合に文頭に配置できる便利な副詞です。最上級や比較級を使ったMost notably,（最も注目すべきことに）とMore importantly,（さらに重要なことに）も便利に使えます。

Notably, the impacts of study variables on ecological footprint vary in countries with different levels of institutional quality.

制度レベルが異なる国々の間でエコロジカル・フットプリントに対する調査変数の影響が異なることは、注目に価する。

（筆者注：エコロジカル・フットプリントとは、人間の活動において、地球環境にかかっている負荷の大きさを測る指標）

A step towards environmental mitigation: How do economic complexity and natural resources matter? Focusing on different institutional quality level countries. *RESOURCES POLICY*, 78, Sep 2022

Most notably, while grid electrification has increased from 66% to 85%, solar lantern ownership has grown

文と文の結びつき

263

from 1.2% to 5%.

最も注目すべきは、グリッド電化率が66%から85%に上昇した一方で、ソーラーランタンの所有率が1.2%から5%に上昇したことである。

The evolving role of solar-based lighting solutions in rural India: Global lessons for distributed renewables. *ENERGY FOR SUSTAINABLE DEVELOPMENT*, 63, pp. 113-118, Aug 2021

Importantly, this impact is found to vary significantly with location.

重要なのは、影響が場所によって大きく変わることである。

The Potential Impact of Climate Change on the Efficiency and Reliability of Solar, Hydro, and Wind Energy Sources. *LAND*, 11 (8), Aug 2022

More importantly, a sunlight-driven electrolytic system successfully drove this coupling reaction efficiently, paving the way for future developments in the production of high value-added chemicals with renewable energy sources.

さらに重要なのは、太陽光で駆動する電解システムが、このカップリング反応を効率的に駆動させることに成功し、これにより再生可能エネルギー源を利用した高付加価値化学物質の生産における将来の発展への道が開かれたことである。

Solar energy-driven electrolysis with molecular catalysts for the reduction of carbon dioxide coupled with the oxidation of 5-hydroxymethylfurfural. *CATALYSIS SCIENCE & TECHNOLOGY*, 12 (18), pp. 5495-5500, Sep 21 2022

Strikingly, daily temperature fluctuated around 2 °C more in locally urban ponds compared to rural ponds

in summer.
驚くことに、夏の水温の変動は、田舎の池に比べて、局所的な都市部の池では約2℃大きかった。

Urban hot-tubs: Local urbanization has profound effects on average and extreme temperatures in ponds. *LANDSCAPE AND URBAN PLANNING*, 176, pp. 22-29, Aug 2018

Interestingly, the therophytes harboured the highest number of alien species (50 spp.), followed by phanerophytes (29 spp.).
興味深いことに、一年生植物は外来種の数が最も多く（50種）、次いで地上植物（29種）であった。

Floristic diversity along the roadsides of an urban biodiversity hotspot in Indian Himalayas. *PLANT BIOSYSTEMS*, 153 (2), pp. 222-230, Mar 4 2019

---

7. したがって、（ **a** ）は（ **b** ）である。
Thus/Hence/Therefore/Consequently,［ **a** ］［ **b** ］.

　順接を表す接続副詞を文頭に配置することもできます。いずれも「したがって」を表しますが、Thus は因果関係が強すぎず、情報の流れを自然に助けることができます。Hence は Thus に比べて若干堅い印象を与えます。Therefore は、結論を述べるような強い因果関係を示す箇所で使用します。Consequently は「その結果」を表します。

文と文の結びつき

Thus, nighttime LED inter-lighting can effectively improve tomato plant growth and yield with lower energy cost compared with daytime both in summer and winter.

そのため、夜間のLEDインターライティングによって、夏場および冬場の昼間と比較して、低エネルギーコストでトマトの生育と収量を効果的に改善することができる。

Nighttime Supplemental LED Inter-lighting Improves Growth and Yield of Single-Truss Tomatoes by Enhancing Photosynthesis in Both Winter and Summer. *FRONTIERS IN PLANT SCIENCE*, 7, Apr 7 2016

Hence, the UHIC changes the vertical distribution of SIA, which may have potential implications on the radiation budget, cloud formation, and precipitation in the urban and surrounding areas.

UHIC = urban heat island circulation   SIA = secondary inorganic aerosol

したがって、都市のヒートアイランド循環によって二次的な無機エアロゾルの鉛直分布が変化し、都市部とその周辺地域の放射収支、雲形成、降水量に影響を及ぼす可能性がある。

Impact of urban heat island on inorganic aerosol in the lower free trospnere: a case study in Hangznou, China. *ATMOSPHERIC CHEMISTRY AND PHYSICS*, 22 (16), pp. 10623-10634, Aug 22 2022

Therefore, the increasing urbanization-induced urban heat island effect is the major cause for more heat-related health risks and climate extremes that many urban residents are suffering.

したがって、都市化に伴う都市ヒートアイランド現象の増化は、多くの都市住民が直面している熱に起因する健康上

のリスクや極端な気候の変化の主な原因となっている。

Evaluating contributions of urbanization and global climate change to urban land surface temperature change: a case study in Lagos, Nigeria. *SCIENTIFIC REPORTS*, 12 (1), Aug 19 2022

Consequently, the analysis of the EA of a microgrid based on solar irradiation and actual load data is essential for developing an optimal and stable operation of the residential energy system.

EA = energy autonomy

したがって、住宅用エネルギーシステムの最適かつ安定した運用を実現するためには、太陽放射と実際の負荷データに基づくマイクログリッドのエネルギー自律性の分析が不可欠である。

Autonomy evaluation model for a photovoltaic residential microgrid with a battery storage system. *Energy Reports*, 8 (9) pp. 653-664, Nov 2022

8. まとめると、（ **a** ）は（ **b** ）である。
Overall, [**a**][**b**].

　アブストラクトの終盤で全体をまとめる際に使用します。「要するに」や「概して」を意味する自然な表現です。

Overall, this study provides a reference for the understanding of heat-induced impacts and enhancing the capacity to cope with urban heat challenges.
全体として、本研究は、熱による影響を理解し、都市の熱

問題に対処する能力を高めるための参考となる。

Heat-induced health impacts and the drivers: implications on accurate heat-health plans and guidelines. *ENVIRONMENTAL SCIENCE AND POLLUTION RESEARCH*, 29,pp. 88193-88212, Dec 2022

Overall, the influence of urban morphology was found to be higher than the influence of AH over the region at ground level, and the inclusion of gridded AH in the model showed improved performance for the heat island assessment.

AH = anthropogenic heat

全体として、地上での地域全体の人為的熱の影響よりも、都市形態の影響のほうが大きいことがわかり、グリッド化された人為的熱をモデルに含めることで、ヒートアイランド評価の性能が向上した。

Numerical simulation of the impact of urban canopies and anthropogenic emissions on heat island effect in an industrial area: A case study of Angul-Talcher region in India. *ATMOSPHERIC RESEARCH*, 277, Oct 15 2022

Tips for Readers
副詞で表す著者の気持ち

学生　著者の気持ちを表す表現の一つとして、助動詞で確信の度合いを調整することを学びました。他に便利なものはありますか。

——文章に足すだけで使える「副詞」があります。例えば Notably, をはじめに置くと、そこが論文の著者が強調し

たい内容であることがわかることを伝えましたが、notablyは文中に配置することもできます。

【文頭や文中の Notably,：特に〜／はじめとした〜】

Notably, China has increased its productivity exponentially to close to 20% of all AI publications.
中国が生産性を指数関数的に向上させ、人工知能に関するすべての出版物の20％近くを占めるようになったことは、注目に値する。

Global Trend in Artificial Intelligence-Based Publications in Radiology From 2000 to 2018. *AMERICAN JOURNAL OF ROENTGENOLOGY*, 213 (6), pp. 1204-1206, Dec 2019

Currently, many of such methods are nontransparent with respect to their working mechanism and for this reason are called black box models, most **notably** deep learning methods.
現在、このような手法の多くは、動作メカニズムが不透明であるため、ブラックボックスモデルと呼ばれている。特にディープラーニングの手法において顕著である。

Explainable artificial intelligence and machine learning: A reality rooted perspective. *WILEY INTERDISCIPLINARY REVIEWS-DATA MINING AND KNOWLEDGE DISCOVERY*, 10 (6), Nov/Dec 2020

── 一方、possiblyやseemingly、apparentlyを文中に配置すると、その記載が確定的でないことが表せます。possiblyで「〜の可能性がある」、seeminglyで「〜のように思える」、apparentlyで「〜のようだ」を表します。

This suggests that children with ASD respect rules

文と文の結びつき

regardless of whether those who break them belong or not to their own group, **possibly** due to lower degrees of empathy.

ASD = autism spectrum disorder

これは、自閉スペクトラム症の子どもたちが、自分のグループにルールを破る人が属しているかどうかにかかわらず、ルールを尊重していることを示唆しており、それは共感の度合いが低いためではないかと考えられる。

Sentiment Analysis in Children with Neurodevelopmental Disorders in an Ingroup/Outgroup Setting. *JOURNAL OF AUTISM AND DEVELOPMENTAL DISORDERS*, 50 (1), pp. 162-170, Jan 2020

Although **seemingly** counterintuitive, the digitization of health care can also markedly improve the physician-patient relationship, allowing more time for human interaction when care is bolstered by digital technologies that better individualize diagnostics and treatments.

直感に反するように思えるが、医療のデジタル化によって、医師と患者の関係が大きく改善し、診断や治療をより個別化するデジタル技術によってケアが強化されれば、人間どうしの交流の時間を増やすことができる。

Moving From Digitalization to Digitization in Cardiovascular Care Why Is it Important, and What Could it Mean for Patients and Providers?. *JOURNAL OF THE AMERICAN COLLEGE OF CARDIOLOGY*, 66 (13), pp. 1489-1496, Sep 29 2015

Apparently, advances in AI create opportunities for growth-oriented entrepreneurship, but also increase the opportunity cost of less ambitious entrepreneurship.

AIの進歩により成長志向の起業の機会が生み出される一方で、野心的ではない起業の機会コストは増大するようだ。

Digitalization of work and entry into entrepreneurship. *JOURNAL OF BUSINESS RESEARCH*, 125, pp. 548-563, Mar 2021

文と文の結びつき

機械翻訳ツールの活用方法

第**10**章

「人」と「機械」の融合日英技術翻訳を探る

AI（人工知能）を使った機械翻訳ツールの精度が高くなり、英語論文を書くために使用する人が増えてきました。そして、ニューラルネットワークという人間の脳の神経回路構造を数学的に表現する手法を使った機械翻訳ツールを使用すれば英語論文執筆の労力が大幅に削減できるのではないかという議論がなされています。本章では、機械翻訳ツールの利点と欠点を明らかにするとともに、人が主体となって上手くツールを使いこなすための方法を説明します。2023年8月現在、無料で利用可能な一般的な機械翻訳ツールであるGoogle翻訳（https://translate.google.co.jp/?hl=ja）とDeepL翻訳（https://www.deepl.com/ja/translator）の利用を念頭において説明します。なお、両者の差違や固有の特徴に関する議論は含まず、全般的な視点から機械翻訳の活用可能性を探ります。また、機械翻訳の出力結果はその都度変わりますが、ここで例示する出力結果は2023年7月、8月時点のものです。

10-1 機械翻訳文の特徴

　英語論文執筆において機械翻訳ツールで日本語から英語に翻訳する際、大半の人間による翻訳よりも機械翻訳が優れている点は、文法誤りが少ないこと、そして、専門用語が概ね正しいことです。さらに、当然のことながら、ライティングの速度が速いことが大きな利点です。一方、2023年現在、機械翻訳には次のような限界があると考えています。このような限界を理解した上で、機械の訳出結果を自在にブラッシュアップして英文を仕上げることが大切です。

英語論文執筆における機械翻訳利用の限界
（2023年8月）

1　用語の非一貫性
2　複雑な文構造
3　話し言葉
4　不適な主語
5　「行間」の不適な処理
6　文単位の翻訳文
7　誤記・誤訳
8　情報セキュリティーの懸念

　これらの項目を順に説明します。具体的な例文がある場合には、例文のブラッシュアップによる対応策も併せて説明します。

1 用語の非一貫性

　同じ文中や異なる文において、同じ日本語に対して異なる訳語が使われ、用語の一貫性に欠ける場合があります。例えば、「動作」に対してmotionとaction、「決定」に対してdecisionとdeterminationといった用語の揺れが生じることがあります（本章2節参照）。そこで、訳出結果をブラッシュアップする際に訳語の揺れを正す必要があります。なお、用語の登録機能を利用できる機械翻訳ツールの場合には、主要な用語を登録することで、この問題を減らせる可能性があります。

2 複雑な文構造

　元の日本語によってはit is構文やthere is/are構文、複文構造、受動態、SVOC構文、イディオム（群動詞）の使用など、複雑な文構造の翻訳文が出力される場合があります。つまり、第2章で確認したような、非ネイティブが陥りやすい文構造が機械翻訳でも同様に見られることがあります。明確で簡潔に、研究内容が的確に読み手に伝わるようにブラッシュアップする必要があります。例文をブラッシュアップしてみましょう。

例1

持続可能な水管理を行うためには、技術、社会、環境、制度、政治、財政の観点を考慮した統合的なアプローチを取ることが重要である。

DeepL翻訳▶ **It is important to take** an integrated approach to sustainable water management, **taking into account** technical, social, environmental, institutional, political and financial perspectives.

修正ポイント▶ 「〜するためには、〜が重要である」といった特定の日本語に対して使われがちなIt is構文を修正します（第2章1節）。加えて、イディオムtake into accountを一語に変更します。

修正例 Sustainable water management **necessitates** an integrated approach **considering** technical, social, environmental, institutional, political, and financial perspectives.

例2

低血圧の原因として、不健康な食事、不規則な食生活、強いストレス、栄養素の不足などがあげられる。

Google翻訳▶ Low blood pressure **can be caused by** unhealthy diet, irregular eating habits, high stress, and lack of nutrients.

修正ポイント▶ 「低血圧の原因として」に対して使われた受動態を解消してincludeで例示します（第2章2節）。さらに、「不健康な食事」のdietには可算・不可算の両方の用法がありますが、この文脈では可算の使用例が多く見られるため、不定冠詞aを使います。

修正例 The causes of low blood pressure **include an** unhealthy diet, irregular eating habits, high stress, and lack of nutrients.

例3

農業の工業化により、確実かつ低コストで食料を生産することが可能になっている。

DeepL翻訳▶ The industrialization of agriculture **makes it possible to** produce food reliably and at low cost.

修正ポイント▶ 「〜が可能になる」に make it possible to... という SVOC構文が使われることがありますが、動詞を make→enable に変更することで、SVO に変更できます。加えて、「農業の工業化」は The industrialization of agriculture でも正しいですが、過去分詞 industrialized を形容詞として使うことで主語を短くします。

修正例 **Industrialized agriculture enables** reliable food production at low cost.

3 話し言葉

論文は正式な書き言葉ですが、Google翻訳やDeepL翻訳といった汎用性の高い翻訳ツールは、書き言葉だけでな

く、話し言葉にも長けています。そのため、口語的な翻訳
文となってしまうことが少なくありません。例えば、「そ
のため」を表す接続詞So、「しなければならない」を表す
have toが頻出したり、「ところで」を表すBy the way が
訳文に頻出したりすることがあります。さらに、話し言葉
での使用が顕著なイディオム（群動詞）や現在進行形が使
われることがあり、それらを取り除くブラッシュアップが
必要です。

例

ウイルスは突然変異によって常に変化するため、新たな変
異種が出現しては消える。長期にわたり存在し続けるもの
もある。

DeepL翻訳▶ Viruses **are** constantly **changing**
through mutation, **so** new variants appear and
disappear. **Some continue to exist for long periods of
time**.

修正ポイント▶ 「〜のため」という日本語に使われた接続
詞soを解消します（第3章2節）。さらに、「長く存在し続
ける」の単語数が多いため、一語で表せる自動詞persist
（長く残る）を使います。「常に変化する」の時制を現在進
行形から現在形に変更します（第4章1節）。Some... は
Some variants... とすることで英単語を明示します。

修正例 Viruses constantly **change** through mutation. New variants appear and disappear, and **some variants** may **persist**.

4　不適な主語

　日本語に主語がないと、機械翻訳が文脈を誤ってしまったり、不適な主語を使ってしまったりすることがあります。日本語には、人が主語の場合に主語を省略する、さらには、2文の主語が同じ場合に2文目の主語を省略する、という特徴がありますが、英文では常に主語が必要です。そのため、人の主語の省略では機械翻訳が主語を誤ったり、2文目の主語の省略では代名詞itやtheyが使われたりする傾向が強まります。

例

副流煙は、一次喫煙の場合と同様の病気の原因となりえる。例えば、心臓血管疾患、肺がん、呼吸器疾患などの原因となりえる。

Google翻訳▶ **Second-hand** smoke can cause the same **illnesses** as **first-hand** smoke. For example, **it** can cause cardiovascular disease, lung cancer, respiratory disease, **and the like**.

修正ポイント▶ 2文目の主語に使われた代名詞itを明確性の観点から変更します。1文目の主語と一致させるか（修

正例1)、または前文の後半で出した情報を使ったSuch
diseasesを使います（修正例2）（第9章1節）。加えて、「病
気」の訳語illnessesは、例示のcardiovascular disease,
respiratory diseaseにあわせてdiseaseに変更します。
例示のcardiovascular diseaseとrespiratory diseaseは、
単数と複数の両方が可能ですが、ここでは複数で例示しま
す。単語について、secondhand, firsthandは一語にでき
ますのでハイフンを削除します。動詞includeを使って例
示すれば（第2章2節）、「など」を表しているand the
likeが削除できます。

修正例1 **Secondhand** smoke can cause the same
diseases as **firsthand** smoke. For
example, **secondhand smoke** can cause cardiovascular
diseases, lung cancer, and respiratory **diseases**.（主語
をそろえる）

修正例2 **Secondhand** smoke can cause the same
diseases as **firsthand** smoke. **Such**
diseases include cardiovascular **diseases**, lung cancer,
and respiratory **diseases**.（前文に登場した情報を主語に
する）

5 「行間」の不適な処理

　日本語特有の「行間」が機械翻訳では埋められない場合
があります。つまり、日本語は英語よりも曖昧な言葉のた
め、日本語には明示されておらず、英語で明示しなくては

ならない部分を、意図に合わない内容に機械翻訳で決定されてしまう場合があるのです。例えば、名詞の単数と複数の別を日本語では表さないことがあり、英語で不適に決定されてしまう場合があります。ほかにも日本語には多く見られる「行間」が、英語では上手く表されない場合があります。

例1

アルツハイマー病が後期まで進むと、会話や移動、周囲の状況の把握が困難になることが多い。

Google翻訳▶ **When** Alzheimer's disease progresses to the late stages, **it often becomes** difficult to talk, move, and understand the surroundings.

修正ポイント▶ 和文に省略されている主語を英文で補う必要がありますが、機械翻訳では（省略された）和文後半の主語に it が使われており、不明瞭であるため、全体的に修正します。人を主語にし、人を視点とした表現に変更します。また、複文構造も解消します（第4章3節）。

修正例 **In later stages, individuals with Alzheimer's disease** often have trouble with talking, moving, or understanding their surroundings.

例2

排水によって淡水生態系および沿岸生態系が汚染されてお

り、安定した食糧供給および安全な飲料水供給が確保できなくなるおそれがある。

DeepL翻訳▶ Freshwater and coastal ecosystems are polluted by wastewater, **which may prevent them** from ensuring a stable food supply and safe drinking water supply.

修正ポイント▶ 日本語と同様に行間を読ませた英文となっています。which may prevent them from ensuring...の係りや代名詞themが何を指すのかが読み取りづらくなっています。前半を能動態に変更し、主語をそろえた2つの文に区切ります。そして、2文目の動詞を変更します。その状態で、文末の分詞構文を使ってつなぎます。

能動態に変更して区切る▶ **Wastewater** pollutes freshwater and coastal ecosystems. **Wastewater** may **threaten** our stable food supply and safe drinking water supply.

修正例 Wastewater pollutes freshwater and coastal ecosystems, **threatening** our stable food supply and safe drinking water supply.（2文をつなぎ直す）

例3

酸性雨とは、二酸化硫黄（SO_2）や窒素酸化物（NOx）などを起源とする酸性物質が雨・雪・霧などに溶け込み、通常より強い酸性を示す現象です。

日本語の出典：気象庁
(https://www.data.jma.go.jp/gmd/env/acid/info_acid.html)

DeepL翻訳▶ Acid rain **is a phenomenon in which** acidic substances originating from sulfur dioxide (SO_2) and nitrogen oxides (NOx) dissolve in rain, snow, and fog, **resulting in a stronger acidity than usual**.

修正ポイント▶ 元の日本語が複雑である場合に、英文の文構造が複雑になってしまうことがあります。さらに、「通常より強い酸性を示す」の主語は本来「雨・雪・霧」ですが、そのことが日本語に表されていないため、英文にも反映されていません。「強い酸性を示す」主体を明示するよう修正します。

修正例 Acid rain **occurs when** acidic substances originating from sulfur dioxide (SO_2) and nitrogen oxides (NOx) dissolve in rain, snow, **or** fog, **causing the rain, snow, or fog to show** a stronger acidity than usual.

6 文単位の翻訳文（複数文間の関係を考慮できない）

2023年8月時点、Google翻訳やDeepL翻訳では、複数文を入力しても、それらの意味的な関係は考慮されず、文単位の翻訳文が出力されます。そのため、**4**でも触れた

ように、日本語の主語が2文目で省略されている場合に、前後の文どうしの関係に基づいて適切な主語が選択されることがありません。そこで、複数文の関係を最適化するためにブラッシュアップします。

例1

地球の気候モデルの構築は、現在も非常に複雑な作業である。そのため、気候変動の原因について学際的に研究する必要がある。

DeepL翻訳▶ Modeling the Earth's climate **is still** a **very** complex task. **Therefore, there is a need for** interdisciplinary research on the causes of climate change.

修正ポイント▶ 「そのため」にThereforeが使われがちですが、文をつなぐことで接続語の使用を減らします（第9章2節）。「非常に」を表すveryを変更します（第3章2節）。加えて、is stillは一語のremainに言い換えられます。さらに、there is構文の使用を控え、前文につなげたSVOの形に修正します（第2章2節）。

修正例 Modeling the Earth's climate **remains** an **incredibly** complex task **and thus involves** interdisciplinary research on the causes of climate change.

従来型の交配育種とは、個体どうしをかけ合わせて望ましい特性を有する新しい作物品種を作り出すことである。遺伝子を直接操作しない点が重要である。

DeepL翻訳▶ Conventional cross breeding is the process of crossing individuals with each other to create a new crop variety with desirable characteristics. **It is important to note that** no direct genetic manipulation **is involved**.

修正ポイント▶ 日本語は2文目の主語が1文目と同じ場合に主語を省略することが少なくありません。つまり、「従来型の交配育種とは、〜である」とした文の次の文では、「従来型の交配育種は、遺伝子を直接操作〜」というように同じ主語を繰り返すことをしません。ところが英文では、2文目にも適切な主語が必要です。このような日本語の「行間」は機械翻訳では適切に明確化されないので、例えば主語をそろえるといった工夫により、行間を埋める必要があります。機械翻訳では、no direct genetic manipulation is involved. とありますが、主題が出ていないため、「従来形の交配育種」では「遺伝子を直接操作しない」という特徴があることが表されていません。このように行間を読ませた表現は、英文としては成り立ちません。2つの文を一度に機械翻訳に入力しても、日本語の行間に配慮した翻訳結果が出力されるわけではなく、1文ごとに訳出されてしまいます。そこで、2文目のit is構文を解消するとともに、「重要である」を表す副詞を文頭に使

用します（第2章1節、第9章3節）。

***

修正例 Conventional cross breeding **involves** crossing of individuals to create new crop varieties with desirable characteristics. **Importantly**, conventional cross breeding **involves no** direct genetic manipulation.

7 誤記・誤訳

名詞の単複や文構造、訳抜けや訳の重複などがまれに見られます。頻度が低いため見落としやすく、不具合が訳文に残ってしまわないよう注意が必要です。

例1

自動運転車とは、自律走行車（AV）や無人運転車、ロボットカーとも呼ばれ、自動化を取り入れ、人の手を全くまたはほとんど介さずに周囲を感知して安全に地上を走行できる車のことである。この技術は将来、各種産業に影響を与える可能性がある。

Google翻訳▶ **A self-driving car**, also known as an autonomous vehicle (AV), driverless vehicle, or robotic car, is a vehicle that incorporates automation and can sense its surroundings and navigate safely on the ground with little or no human intervention. **That is**. This technology may affect various industries in the future.

修正ポイント▶ 機械翻訳で不適な単語が挿入され、文が成り立たないことがまれにあります。ここでは、That is.の挿入がありましたが、和文が長い場合に、このように処理精度が落ちる傾向がいまだに見られます。また、書き出しの「自動運転車」は、一般論として複数形に修正します。ほかにも、読みやすくなるよう英文を調整します。

修正例　**Self-driving cars**, also called **autonomous vehicles (AVs), driverless vehicles**, or **robotic cars**, **are vehicles** with autonomous driving. **These vehicles** can move safely on the ground by sensing their surroundings with little or no human intervention. **This technology** has **potential implications in the future of various industries**.

例2

複数のレンズからのデータをコンピュータで組み合わせることにより、中央に向かって解像度が増す画像を形成する。肉食動物の視覚を模したものであって、中央部で焦点が合うため獲物を素早く発見することができる。

DeepL翻訳▶ Data from several lenses is combined **by computer** to form an image with increasing resolution **towards** the **centre**. **It** mimics the vision of predators and allows them to spot prey quickly as it is focused in the **centre**.

修正ポイント▶ 機械翻訳の文法誤記は少ないものの、まれに生じることがあります。例えば今回のby computerは、数える名詞であるcomputerを無冠詞で使っているため文法誤記となっています。手段を表す前置詞byの後ろには冠詞が付かない場合が多いというルールにしたがったものと思われますが、手段byの後ろに置いた可算名詞に冠詞が付かないのは、例えば、I came here by bus.（私はバスでここに来た。）のように、日常生活における交通手段などの特定の状況に限られます。さらに、1文目の主語に受動態を使い、2文目の主語に代名詞itを使っているため、2文目のitが何を指すかが不明瞭です。ここでは「前文全体を指すThis」を使用します（第9章1節）。加えて、機械翻訳ツールの自動検出機能により「英語（UK）」に翻訳されたため、towards、centreがイギリス英語のスペルとなっています。英文の利用先によってはアメリカ英語のスペルに修正が必要です。なお、本例の和文は、実際には、国際ジャーナルに掲載された英文が元となっていますが（修正案に続けて記載）、そちらはイギリスの雑誌Natureからの出典のため、イギリス英語のスペルとなっています。

修正例　**A computer** combines data from several lenses to form an image with increasing resolution **toward** the **center**. **This mimics** the vision of predators, **which** is focused in the **center and allows** them to spot prey quickly.

参考 A computer combines data from the lenses to form an image that has increasing resolution towards the middle. This mimics the vision of predators, which is more sharply focused in the centre and allows them to quickly spot prey.

3D-printed camera sees like an eagle. *Nature*, 542 (7642), pp. 395-395, Feb 23 2017

8　情報セキュリティーの懸念

　AI機械翻訳のデータ収集については不明な要素が多くあります。入力したデータは、暗号化されるものの、ツールの改良といった用途のために回収されて利用されると考えることができます。そこで、未公開の研究に関する重要データを無料版の翻訳ツールに投入すると、データの安全性に疑義が生じます。セキュリティーの問題が解決できている有料版の翻訳ツールを利用するなどの対策を講じる必要があります。

Tips for Readers

ChatGPTに英語プレゼンの準備を手伝ってもらう

学生　機械翻訳ツールの話が出てきましたが、2022年11月に公開されて話題を呼んだ生成AIであるChatGPTといったツール（人工知能チャットボット）についてはどうでしょう。人間の代わりに論文を書いてくれる時代が到来するのでしょうか。
　──ChatGPTは対話力に長けていますが、「論文を書い

てもらう」ことができるかは不明です。使用側が明快な指示を出さなくてはならないですし、出力された英文を論文の著者が意図に沿うように書き換えるか、意図に合う英文となるまで指示を出し続けなければなりません。部分的であれば活用できる可能性があるものの、1つの論文へと仕上げるのはそう簡単ではないと考えています。日本語と英語の違いに起因する名詞の単複や冠詞、日本語に存在する「行間」についても著者が確認し、意図した表現へとブラッシュアップしなくてはならない点は、DeepLやGoogle翻訳といった機械翻訳ツールを使う場合と同様です。ChatGPTだけでなく、昨今はQuillBot（クイルボット）やGrammarly（グラマリー）といった文法チェックや異なる言い回しを教えてくれる生成AIツールもありますが、それらを使う場合であっても、数ある表現からどれを選択して英文を仕上げるのか、という点は著者に委ねられています。英文を判断して選択するに足りる英語力が必要です。

学生　確かに。すると、ChatGPTといったツールを使う時代が来たとしても、やはり自分で英語をブラッシュアップして、非ネイティブとしてどのような表現を選択するのかを決めることが重要でしょうか。

──その通りです。テクノロジーを使いこなして生き残っていくためにも、英語のスキルはますます重要になってくるでしょう。

学生　そうですか。やっぱり楽はできないですか。

──いいえ。がっかりされたようですので、2023年8月現在、「ChatGPTが便利！」と考える使用例を一つ紹介しておきましょう。英語論文執筆から少し離れますが、英語プレゼンテーション（口頭発表）の準備をChatGPTに手伝ってもらうことができるかもしれません。

学生 タイトルやアブストラクトが完成したあとの学会などでのプレゼンテーションですね。経験がありますが、スライドを作るのに時間がかかってしまい、アブストラクトの文章をそのまま載せてしまった結果、ごちゃごちゃした、見づらいスライドになってしまいました。それから、プレゼン自体はなんとかやりきったのですが、質疑応答で質問に答えられなかった苦い経験があります。

――ChatGPTの出番です（笑）。先の「**7 誤記・誤訳**」の例1「自動運転車」に関するブラッシュアップ後の英文について、ChatGPTに「プレゼンスライド用の短いリストを作成してください (Make a short list for my presentation slide using this:＿＿＿＿←ここに英文をペースト)」とお願いして得られた結果を共有します。「a short list」（またはa concise listやa brief listも可）と入れないと、各項目が文章で出力されることが多く、shortとすることで、動詞を省いて短文化したリストが得られます。

Presentation Slide: Self-Driving Cars
Definition: Autonomous vehicles capable of driving without human intervention.
Safety: Move safely by sensing surroundings on the ground.
Implications: Potential impact on various industries.
Future: Technology shaping the future of transportation.

　スライド内のスペースの都合によっては、Can you make them shorter?と再度お願いすれば、次のようにさらに短くしてくれます。

Definition: Autonomous vehicles with no human intervention.
Safety: Move safely by sensing surroundings.
Implications: Impact on various industries.
Future: Transportation technology revolution.

　スライドの英語であれば、短いですので、著者が比較的簡単にチェックできるでしょう。これによれば、スライドで要点をリストにしたいのに、長々と文章を詰め込んでしまった、といった次の例ようなビジースライド（こみ入ったスライド）の失敗を避けられます。

失敗例：こみ入ったスライド

Presentation Slide: Self-Driving Cars
● Self-driving cars, also called autonomous vehicles (AVs), driverless vehicles, or robotic cars, are vehicles with autonomous driving.
● These vehicles have the capability to operate without or with minimal human intervention.
● Self-driving cars navigate the road safely by sensing their surroundings.
● This technology holds potential implications for various industries.

　なお、機械翻訳の場合と同様に、ChatGPTにも情報セキュリティーの懸念が存在していますので、その点はご留意ください。

　加えて、質疑応答の準備にも便利です。
「想定しうる質問を教えてください（例：Can you

think of questions for this?)」などとお願いして、ChatGPTにランダムに質問を書き出してもらいます。それに対して、口頭で答える準備をしておきましょう。ここでは、実際にある学生のアブストラクトを使って、質問を書き出してみます。

例

Can you ask me questions about my study? This is my study: (←ここに研究内容をアブストラクトからペースト)

　本例では、automated fish counting（自動で魚をカウントする方法）に関するアブストラクトをここに記載しました。

ChatGPTの答え（質問のリスト）

Certainly! Here are some questions related to your study on automated fish counting methods:
What is the significance of automating fish counting in fish farms?
What challenges do fish farmers face when manually counting thousands of fry?
How do video cameras contribute to automating the fish counting process?
What are the key objectives of your study?
……

　このような質問を見て、「研究の意義」「システムの評価方法」など、答えを自分で考えておく、とにかくたくさんの質問に英語で答えて練習を重ねておく、といった使用方法が有効でしょう。

学生 これは、いいですね。スライド用の英語を作る際や質疑応答の質問を考える際にChatGPTを使ってみます。テクノロジーの進歩とそれを使いこなす人間の進化、楽しみな時代になりそうであることがわかりました。そのような時代に備えて、テクノロジーを使いこなすことができるように英語の勉強に励みます。

出力結果のブラッシュアップ

　機械翻訳の特徴を捉えた上で、アブストラクトなどの執筆に機械翻訳を使用することになった場合には、出力結果を本書で紹介したテンプレートに当てはめ直すことでブラッシュアップすることが有効です。前節で確認したように、人が行う翻訳や英文ライティングと同様に、日本語の特徴が英文に引き継がれ、出力結果が第2章から第4章で解説した「陥りやすい表現」になってしまうことが少なくありません。そのような出力結果を、主に第5章から第9章で解説した国際ジャーナルで使われる推奨表現のテンプレートへと当てはめ直す作業を行います。このブラッシュアップができれば、機械翻訳の利点を活用しながら効率的に英語論文を執筆することが可能になります。

　「ロボットの動作決定」に関する仮想のタイトルとアブストラクトを使って説明します。

人間の動作の学習に基づく
ロボット動作決定モデルの開発

　一般に、作業を自動化するためには、その作業を行う人間の動作をロボットに再現させる必要がある。そのため、特定の作業に対する人間の動作に基づいてロボットの関節角度やエンドエフェクタの軌道を決定する方法が開発されてきた。しかし、人間とロボットの間には運動学的・力学的な差異があるため技術的に難しかった。そこで本研究で

は、複雑形状物体のハンドリングを伴うタスクにおいて、ニューラルネットワークを用いてロボットの動作を決定する新しいタスクモデルを開発した。本モデルでは、バーチャルリアリティコントローラと指センサーを用いて収集した対象物を扱う人間の実演データを用いて、対象物を把持するためのロボットの姿勢をニューラルネットワークとクラスタリング技術を用いて推定した。そして、動的動作プリミティブによって作成した軌跡に沿わせることで、人間による実演から学習した把持動作をロボットに行わせた。本モデルを公式な検証器によって評価した結果、有望であることが示された。

(筆者作成)

【Google翻訳の出力結果（2023年7月）】

Development of a robot motion decision model based on learning of human actions

Generally, in order to automate work, it is necessary to make a robot reproduce the motion of a human who performs the work. Therefore, methods for determining the joint angle of the robot and the trajectory of the end effector based on the human motion for a specific task have been extensively developed. However, there are technical limitations due to kinematic and dynamic differences between humans and robots. Therefore, in this research, we developed a new task model that determines robot motions using neural networks in tasks involving handling of complex-shaped objects. In this model, the optimal pose of the robot for grasping the object was estimated using a neural network and clustering technology, using demonstration data of a human handling the object collected using a virtual reality controller and a finger sensor. Then, by making the robot follow the trajectory created by the dynamic motion primitive, the robot was made to perform the grasping motion learned from the human demonstration. The model was evaluated by a formal validator and promising results were obtained.

タイトルはキーワードに絞り、単語を最小限にする

機械翻訳▶ **Development of** a robot motion decision model based on learning of human actions

【使用テンプレート】

[**a**] with/using [**b**].
（ **b** ）を有する／を用いた（ **a** ）

解説▶ キーワード検索にかからない単語をできるだけ削除します。Development（開発）を英文で削除してみましょう。based on は using にして単語数を減らします。機械翻訳の英文に文法誤りはありませんでしたが、「動作」

に対して、motionとactionという異なる訳語が使用され
ていますので、motionに統一します。なお、この先アブ
ストラクトで「決定する」にdetermineが使われますの
で、ここでも「決定」をdecisionからdeterminationに
変更します。learning of human actionsは、名詞を羅列
してhuman motion learningのように短く表現します。
名詞を羅列する場合、前に配置する名詞が形容詞の役割を
果たすため、motionは無冠詞単数形にできます。

ブラッシュアップ結果

A robot motion determination model using human
motion learning

アブストラクトを明快に書き出すため、
無生物主語・SVO・能動態の文構造を使う

機械翻訳▶ **Generally, in order to** automate work, **it
is necessary** to **make a robot reproduce** the motion
of a human who performs the **work**.

【使用テンプレート】

[**a**] require(s)/necessitate(s)/use(s)/involve(s)
[**b**].
（ **a** ）するためには、（ **b** ）が重要／必要である。

解説▶ 英文の主題を主語にして文頭に配置します。「自動化すること」を表すAutomatingを主語に使い、「必要とする」を表すrequireを動詞に使います。make a robot reproduce（ロボットに再生させる）という複雑な動詞表現を控え、簡単な文構造に書き換えます。文頭のGenerally,（一般的に）は、typically（典型的に）に変更して文中に移動させても読みやすいでしょう。robot、humanといった名詞は単数形を保持することも可能ですが、アブストラクトの1文目のため、広く一般論として表す複数形に変更します。「作業」は次の文でworkではなくtaskが使われているため、そちらに統一します。

ブラッシュアップ結果　Automating tasks typically requires robots to reproduce the motions of humans who perform these tasks.

主語から開始して早期に動詞を出す

機械翻訳▶ **Therefore**, methods for determining the joint angle of the robot and the trajectory of the end effector based on the human motion for a specific task **have been extensively developed**.

【使用テンプレート】

=====================================

[**a**] has(have) been developed to/for [**b**].
（ **b** ）のための（ **a** ）が開発されてきた。

=====================================

解説▶ Thereforeがのちに一箇所使用され、アブストラクト全体で二ヵ所の使用となり、多すぎるため、ここで削除します。さらに、動詞が文末に配置され、主語が長くなっているため、主語の直後に動詞を移動します。

ブラッシュアップ結果 Methods have been developed extensively for determining the joint angles and end-effector trajectories of robots based on human motions for particular tasks.

there is/are構文を解消して主題をわかりやすくする

機械翻訳▶ However, **there are** technical limitations **due to** kinematic and dynamic differences between humans and robots.

【使用テンプレート】

[**a**] is(are)/has(have) been limited/restricted by [**b**].
（ **a** ）には、（ **b** ）の限界がある。

解説▶ there are...due to... は単語数が多く、回りくどい印象を与えるため解消します。テンプレートからbe limited byを選んで研究限界を記載します。

ブラッシュアップ結果 However, these methods are limited by the kinematic and dynamic differences between humans and robots.

過去形を減らす

機械翻訳▶ **Therefore**, in this research, we **developed** a new task model that determines robot motions using neural networks in tasks involving handling of complex-shaped objects.

【使用テンプレート】

In this study, we have developed ［　**a**　］.
本研究では、（　**a**　）を開発した。

解説▶ 接続語Thereforeの使用では必須でないため削除します。加えて、「〜した」に頻出する過去形は、実験記載にとどめるのが望ましく、現在完了形に変更します（第4章1節）。

ブラッシュアップ結果　In this study, we have developed a new task model for determining robot motions using neural networks in tasks involving handling of complex-shaped objects.

受動態を減らし、現在形の使用を増やす

機械翻訳▶ In this model, the optimal pose of the

robot for grasping the object **was estimated** using a neural network and clustering **technology**, using demonstration data of a human handling the object collected using a virtual reality controller and **a finger sensor**.

【使用テンプレート】

This work/study presents/uses ［ **a** ］.
本研究では、（ **a** ）を提示／使用する。

解説▶　機械翻訳の出力結果をそのまま採用することも可能ですが、「〜を用いた」という動詞を活かして無生物主語・能動態で表現することが可能です。主語をmodelにすることで、万能な動詞useの能動態が使え、加えて、現在形で表すことができます。後半は、目的を表すto不定詞で文の後半へとつなぐことで、時制の使用を回避できます。finger sensorは、一体のロボットに複数搭載されているため複数形に変更します。機械翻訳では名詞の数が自動的に決定されてしまうため、実際の意図に合わせて調整します。clustering technologyはclustering単体でも同じ意味を表すため、technologyを削除します。

ブラッシュアップ結果　The model uses human demonstration data collected using a virtual reality controller and finger sensors in handling a target object to estimate the optimal pose of a robot for grasping the object using an artificial neural network and clustering.

平易で具体的な単語を使う

機械翻訳▶ **Then, by making** the robot follow the trajectory created by the dynamic motion primitive, the robot **was made to perform** the grasping motion learned from **the** human demonstration.

【使用テンプレート】

[**a**] is(are)/was(were) [**b**].
（ **a** ）を（ **b** ）した。

解説▶ Then, by making... のように文頭に句が並ばないように、主語から文を開始します。さらに、makeが2回登場したSVOC構文を控え平易なSVOに変更します。「何を行ったか」を記載した部分であるため、受動態と過去形は許容とします。The robot followed... と能動態にもできます。

ブラッシュアップ結果　The robot was controlled to follow the trajectory created by dynamic movement primitives (DMPs) and reproduce the gripping motion learned from human demonstration.

メインのアイディアを1文1つに絞る

機械翻訳▶ The model was evaluated by a formal validator **and promising results were obtained**.

【使用テンプレート】

Our finding(s)/experiments indicate(s)/
demonstrate(s)/show(s)/prove(s)/verify(ies)/reveal(s)/
unveil(s)/suggest(s)/imply(ies) that ［ **a** ］［ **b** ］.
今回の研究によって、（ **a** ）が（ **b** ）であるとわかった。

解説▶「評価した」ことと「結果が得られた」ことの2
つのアイディアが1文にそれぞれ独立して入っているた
め、メインアイディアを「（評価すると）有望と示された」
という1つに絞ります。無生物主語 The model evaluation
を使うことで、SVO・能動態、現在形にできます。

ブラッシュアップ結果 The model evaluation using a
formal validator shows
promising results.

　このように、テンプレートに当てはめながらブラッシュ
アップして完成させたアブストラクトを、全体を通して読
んでみましょう。単語数は174ワードから148ワードに減
り、読み手に早く情報が届くようになりました。テンプレー
トを使用した箇所を太字で表します。

A robot motion determination model
using human motion learning

Automating tasks typically **requires** robots to
reproduce the motions of humans who perform these
tasks. Methods **have been developed** extensively **for**

determining the joint angles and end-effector trajectories of robots based on human motions for particular tasks. However, these methods **are limited by** the kinematic and dynamic differences between humans and robots. **In this study**, **we have developed** a new task model for determining robot motions using neural networks in tasks involving handling of complex-shaped objects. **The model uses** human demonstration data collected using a virtual reality controller and finger sensors in handling a target object to estimate the optimal pose of a robot for grasping the object using an artificial neural network and clustering. The robot **was** controlled to follow the trajectory created by dynamic movement primitives (DMPs) and reproduce the grasping motion learned from human demonstration. **The model evaluation** using a formal validator **shows** promising results.

　なお、そもそも入力する日本語を変更することで、もう少し良い英文が得られないものか、という議論も生じるでしょう。主語と動詞を明確にし、英語のSVOを意識した和文にして機械翻訳に入力することが有効です。加えて、「行う」といった非具体的な動詞の使用をやめて「開発する」のように具体的に表現します。そうすると、ある程度理想に近い英文を得ることができるでしょう。

第1文～第2文の日本語を改良する

作業を自動化することは、一般的に、その作業を行う人間の動作をロボットに再現させることを必要とする。特定の作業に対する人間の動作に基づいてロボットの関節角度やエンドエフェクタの軌道を決定する方法が、広範囲に開発されてきた。

改良した日本語から得られる機械翻訳出力▶ Automating a task generally requires a robot to reproduce the motion of a human performing the task. Methods have been extensively developed to determine robot joint angles and end effector trajectories based on human motion for a particular task.

このように、機械翻訳を使用する場合には、できるだけ主語と動詞を明示した日本語に変更してから行うことで、望ましい結果に近い翻訳文が得られます。日本語が多少くどくなったとしても、英文を想定した主語を加えてから翻訳するとよいでしょう。本章の1節で述べた機械翻訳利用の限界1～8を克服できるのであれば、和文の変更と英文の修正を巧みに組み合わせながら、時代のテクノロジーである機械翻訳の力を借りて、効率的・効果的に英文品質を高めることができます。

学生 機械翻訳が出力する英文の特徴がわかりました。上手く使いこなすための機械翻訳の使用前と使用後の作業について、もう少し詳しく教えてください。

──機械翻訳の限界を理解したうえで上手に活用するためには、はじめに日本語を区切り、あとで英文どうしをつなぐ方法が有効です。翻訳の前と後の2つのステップでブラッシュアップします。

▶ステップ1　日本語の処理

日本語を短く区切り、各文の主語を明確化する。その際、複数文の主語はできるだけそろえて繰り返す。さらに、可能な限り他動詞を使ったSVOの形に日本語を整える。

▶ステップ2　出力結果の修正

出力結果の短い文どうしをつなぐ。文間の結束性を強化する。その際、名詞の単複や冠詞、時制、助動詞など、日本語で明示しない項目を実際の意図に合うよう修正する。加えて、動詞を最適化する。

　試してみましょう。「スマートフォンには電子部品が多く搭載されているため、落とすと衝撃で故障する可能性がある。」をそのまま訳出すると、次のような出力結果が得られました。

Google翻訳▶ Since smartphones are equipped with many electronic components, there is a possibility that they may break down due to impact if dropped.

　誤りはありませんが、「〜であるため」という日本語に
sinceによる複文構造が使われ、文構造が複雑です。加え
て、are equipped with、there is a possibility thatとい
う長い表現も使われています。

学生　日本語を短く区切り、主語を明示するのですね。こ
れなら自分でもできそうです。さらに、「搭載されている」
を簡単な動詞に変えてみます。

「スマートフォンは電子部品を多く使用している。スマー
トフォンは、落とすと衝撃で故障する可能性がある。」

Google翻訳▶ Smartphones contain many electronic
components. Smartphones can be damaged by
impact when dropped.

——上手くできました。短く区切り、主語を明示した2文
として作成すれば、機械翻訳ツールの種類によらず、およ
そ安定した訳文が出力されます。次に、出力された短い2
文をつないでみましょう。

出力結果を修正する

Smartphones, which use many electronic components,
can be damaged by impact when dropped.

関係代名詞非限定用法（第9章2節）を使ってつなぐこと
で、メインのメッセージが伝わりやすく、さらには因果関
係も自然に表現できます。

Smartphones use many electronic components and can
be damaged by impact when dropped.

あるいは、単純に等位接続詞andを使ってつなぐことも可
能です。1文目の主語が後半の主語を兼ねることができま
す。

学生 長い日本語を翻訳したときよりも洗練された英文になりました。翻訳の前と後のひと手間が必要ということですね。もう一例、やってみます。

日本語▶ 「大気汚染は国境を越えて起こるが、国境を越える大気汚染に対処できる法的制度を有する国は、わずか30％に過ぎない。」

日本語を区切る▶ 「大気汚染は国境を越えて起こる。国境を越える大気汚染に対処できる法的制度を有する国はわずか30％に過ぎない。」

DeepL翻訳▶ Air pollution occurs across national borders. Only 30% of countries have legal systems to deal with cross-border air pollution.

英文をつなぐ▶ Air pollution occurs across national borders, **but** only 30% of countries have legal systems to deal with cross-border air pollution.

——よくできました。せっかくなので、もう少しブラッシュアップしましょうか。今回は、2つの文の主語がそろっていないので、等位接続詞butでなく、従属接続詞althoughを使うことで、2文目をメインのメッセージとして目立たせてみましょう。併せてoccur across→cross（横断する）、deal with→address（対処する）のように動詞一語に変更するとよいでしょう。

Although air pollution **crosses** national borders, only 30% of countries have legal systems to **address** cross-border air pollution.

学生　なるほど。読みやすい文章ができあがりました。人が翻訳した場合と同じ要領で陥りやすい表現をブラッシュアップしつつ、短く区切られた文をつなぐことで、機械翻訳を活用できることが体感できました。

Afterword

明快な英語で世界への扉を開こう

本書執筆のきっかけは、論文のタイトルとアブストラクトを著者と一緒に改善しようとしたときに、そもそも研究者の頭の中が整理されていないという問題に直面したことでした。日本語が行間を読ませる高文脈言語であるのに対し、英語は明快で含みのない低文脈言語であり、論理的かつ合理的です。そのため、思考が明確化されていないと、英語で表現することができないのです。そこで、いくつかの問いに答えることで思考が明確に定まり、分野を問わずタイトルとアブストラクトができあがる英語のテンプレートを考案し、理系大学院の英語論文の授業の中で使ってみたところ、受講生から、「はじめてアブストラクトを書いたが、アウトラインに沿って内容を決めていくと、驚くほどスムーズに書けた」、「キーワードをつないでタイトルを作成するという発想は面白かった」といった声があがりました。提案したテンプレートや表現例を使ってタイトルやアブストラクトを作成することにより、英語という言葉を通して、研究内容を明快かつ論理的に表現できるようになったのです。

適切なキーワードを含んだ論文タイトルが読者の目にとまり、簡潔で明確なアブストラクトで惹きつけることができれば、論文の内容、つまり自身の研究内容を読んでもら

える可能性は大きく高まります。人間生活の発展、改善、問題解決に日々取り組まれている研究者の皆様が、自身の英語論文のプレゼンスを高めることで、研究の場を世界へと広げ、ますますご活躍されることをお祈りしています。

　最後になりましたが、本書の出版を可能にしてくださった講談社の柴崎淑郎様および関係者の皆様に心より感謝申し上げます。

2023年8月

中山裕木子

さくいん

アルファベット：M・N・O

アルファベット：P・Q・R

アルファベット：S

あ行

か行

ま行

や行・ら行

N.D.C.407　　318p　　18cm

ブルーバックス　B-2240

テンプレート式
理系の英語論文術
国際ジャーナルに学ぶ　伝わる論文の書き方

2023年 9 月20日　第 1 刷発行

著者	中山裕木子
発行者	髙橋明男
発行所	株式会社講談社
	〒112-8001 東京都文京区音羽2-12-21
電話	出版　03-5395-3524
	販売　03-5395-4415
	業務　03-5395-3615
印刷所	(本文印刷) 株式会社ＫＰＳプロダクツ
	(カバー表紙印刷) 信毎書籍印刷 株式会社
製本所	株式会社国宝社

ISBN978-4-06-533364-8

発刊のことば

科学をあなたのポケットに

二十世紀最大の特色は、それが科学時代であるということです。科学は日に日に進歩を続け、止まるところを知りません。ひと昔前の夢物語もどんどん現実化しており、今やわれわれの生活のすべてが、科学によってゆり動かされているといっても過言ではないでしょう。

そのような背景を考えれば、学者や学生はもちろん、産業人も、セールスマンも、ジャーナリストも、家庭の主婦も、みんなが科学を知らなければ、時代の流れに逆らうことになるでしょう。

ブルーバックス発刊の意義と必然性はそこにあります。このシリーズは、読む人に科学的に物を考える習慣と、科学的に物を見る目を養っていただくことを最大の目標にしています。そのためには、単に原理や法則の解説に終始するのではなくて、政治や経済など、社会科学や人文科学にも関連させて、広い視野から問題を追究していきます。科学はむずかしいという先入観を改める表現と構成、それも類書にないブルーバックスの特色であると信じます。

一九六三年九月

野間省一